Como Animar
um Capricorniano

Mary English

Como Animar um Capricorniano

Orientações da Vida Real para Relacionar-se Bem e ser Amigo do Décimo Signo do Zodíaco

Tradução:
MARCELLO BORGES

Editora Pensamento
SÃO PAULO

Título original: *How to Cheer Up a Capricorn.*

Copyright do texto © 2010 Mary L. English.

Publicado originalmente no RU por O-Books, uma divisão da John Hunt Publishing Ltd., The Bothy, Deershot Lodge, Park Lane, Ropley, Hants, SO24 0BE, UK.

Publicado mediante acordo com O-Books.

Copyright da edição brasileira © 2014 Editora Pensamento-Cultrix Ltda.

Texto de acordo com as novas regras ortográficas da língua portuguesa.

1ª edição 2014.

Todos os direitos reservados. Nenhuma parte deste livro pode ser reproduzida ou usada de qualquer forma ou por qualquer meio, eletrônico ou mecânico, inclusive fotocópias, gravações ou sistema de armazenamento em banco de dados, sem permissão por escrito, exceto nos casos de trechos curtos citados em resenhas críticas ou artigos de revista.

A Editora Pensamento não se responsabiliza por eventuais mudanças ocorridas nos endereços convencionais ou eletrônicos citados neste livro.

Editor: Adilson Silva Ramachandra
Editora de texto: Denise de C. Rocha Delela
Coordenação editorial: Roseli de S. Ferraz
Preparação de originais: Marta Almeida de Sá
Produção editorial: Indiara Faria Kayo
Assistente de produção editorial: Estela A. Minas
Editoração eletrônica: Join Bureau
Revisão: Vivian Miwa Matsushita e Indiara Faria Kayo

CIP-Brasil. Catalogação na Publicação
Sindicato Nacional dos Editores de Livros, RJ

E48c
1. ed.
   English, Mary
   Como animar um capricorniano : orientações da vida real para relacionar-se bem e ser amigo do décimo signo do zodíaco / Mary English ; tradução Marcello Borges. 1. ed. – São Paulo: Pensamento, 2014.

   Tradução de: How to cheer up a capricorn.
   ISBN 978-85-315-1858-4

   1. Capricórnio (Astrologia). 2. Astrologia. I. Título.

13-08106
                                                                                     CDD: 133.54
                                                                                     CDU: 133.526

Direitos de tradução para a língua portuguesa adquiridos com exclusividade pela
EDITORA PENSAMENTO-CULTRIX LTDA., que se reserva a
propriedade literária desta tradução.
Rua Dr. Mário Vicente, 368 – 04270-000 – São Paulo – SP
Fone: (11) 2066-9000 – Fax: (11) 2066-9008
http://www.editorapensamento.com.br
E-mail: atendimento@editorapensamento.com.br
Foi feito o depósito legal.

Este livro é dedicado à minha irmã caçula (a melhor):
Katherine Francis English.
Que você tenha mais felicidade a cada dia.

♑ Sumário ♑

Agradecimentos 9
Introdução 11

1 O signo: sério, responsável, estoico, pragmático 23
2 Como montar um mapa astral 47
3 O ascendente 52
4 A lua 61
5 As casas 72
6 Os problemas 79
7 As soluções 85
8 Táticas para animar 97

Informações adicionais 125
Notas 127
Informações sobre mapas astrais 129

♑ Agradecimentos ♑

Gostaria de agradecer as seguintes pessoas:
Meu adorável marido taurino,
que torna a minha vida tão maravilhosa.
Meu filho, por ser o libriano que sempre
me faz enxergar o outro lado.
Marina, uma amável pisciana que me encorajou no começo.
Tony, Pat e Oksana, por sua bem-vinda habilidade editorial.
Caroline Lewis-Jones, por seu apoio moral.
Mabel, Jessica e Usha, por sua compreensão.
Laura e Mandy, por sua amizade.
Mari e Alix, por sua excepcional bondade e sua hospitalidade.
Peter e Tammy Kwan, pelo "chá de primeiros socorros" e
pelos conhecimentos de informática.
Noel e Bernard, por dizerem "não" de maneira *tão* legal.
John, meu editor, por ser a pessoa que lutou com
unhas e dentes para que este livro fosse publicado,
e toda a equipe da O-Books, inclusive Kate, Maria, Trevor,
Stuart, Lee, Mary, Elizabeth e Radley.
E finalmente, mas não menos importante, meus adoráveis
clientes, por suas valiosas contribuições.

♑ Introdução ♑

Por que o título deste livro?

Após a publicação de *Como Sobreviver a um Pisciano*, meus clientes me perguntaram se eu iria escrever sobre cada signo do Zodíaco. Como eu tinha começado pelo meu próprio signo, Peixes, o último do Zodíaco, achei que deveria continuar de trás para a frente. Por que não?

Por mais que respeite outros autores de livros sobre signos solares, inclusive Linda Goodman, achei que deveria continuar de trás para a frente ao longo do Zodíaco, pois, se começasse por Áries (signo de Linda), que é um signo tão ativo e veloz, eu poderia sair correndo, ficar cansada e não terminar.

Por isso, comecei pelos signos mais próximos do meu, e o segundo livro que escrevi foi *Como se Relacionar com um Aquariano*, pois minha mãe, duas irmãs, minha ex-sogra e minha tia que morreu recentemente, para minha tristeza, são desse signo independente. E como eu tinha prometido a mim mesma ir de trás para a frente, isso significava que a seguir eu teria de escrever sobre Capricórnio.

Não foi algo fácil.

Como animar um Capricorniano

Embora eu tenha uma irmã capricorniana, uma amiga homeopata muito querida (cujo marido também é capricorniano) e duas primas em segundo grau desse signo, quanto mais eu pensava nos capricornianos, ou lia sobre eles, mais me parecia que eu teria de me esforçar para subir a ladeira.

Minha avó também era capricorniana, e seu marido (meu avô) morreu com a idade precoce de 60 anos, de tuberculose. Ela passou os 34 anos seguintes viúva, mas era muito independente. Minha lembrança dela é a de uma pessoa palpiteira, que amava você ou não. Não havia um meio-termo. Nunca soube o seu nome. Nós a conhecíamos apenas como "Vovó English".

Minha mãe escreveu sobre ela em seu livro *Branching Out Fruits of the Tree*:*

> Ena, como era conhecida na família, era feita de material mais resistente do que seu marido Reginald, e viveu até a avançada idade de 94 anos. Durante toda a sua vida, que não foi fácil, ela foi católica fervorosa. Nunca diminuir seus padrões, e ou amava ou odiava, e com certeza nunca perdoava seus inimigos, mas era generosa com quem amava – e felizmente fui uma dessas pessoas.

Depois, tive de pensar num título, um que inspirasse as pessoas a conhecer esse signo, mas que também ajudasse aqueles que lidam com nativos de Capricórnio. Não ia escrever apenas sobre o lado divertido do signo; eu precisava falar sobre seu calcanhar de Aquiles. Aquilo que outras pessoas pensam que é um sacrifício para os capricornianos, que, pelo que descobri, é "ser feliz".

---

* "Espalhando os frutos da árvore".

♑ Introdução ♑

E para tornar a redação deste livro mais significativa, quando eu estava chegando ao último capítulo e "revendo o texto", tive um inesperado e imenso problema no computador que acabou apagando 50% do livro... transformando-o em hieróglifos. Nenhum programa conseguiu restaurar quatro meses de trabalho e mais de 12 mil palavras, e restou-me a ingrata tarefa de ter de reescrever os três capítulos finais. As únicas pessoas que sabiam de verdade como me senti foram outros autores, dentre os quais minha irmã mais velha, Lucy; após passar o fim de semana chorando e amaldiçoando Júpiter e Urano retrógrados, seu ombro amigo e seu lembrete de "faça *backup* de TUDO" me trouxeram algum conforto e prossegui... embora tenha ficado muito IN-feliz.

Foi durante esse triste episódio que percebi que tinha de invocar meu próprio Saturno (sobre o qual falaremos daqui a pouco), que felizmente estava em Capricórnio, para dizer "ranja os dentes, arregace as mangas, não adianta fazer um escarcéu, siga em frente", pois do contrário você não estaria lendo este livro. Além disso, compreendi um pouco melhor a necessidade capricorniana de alcançar o sucesso e de concluir sua tarefa independentemente de ocorrências externas.

Ser Melancólico

Em meu trabalho como astróloga (e homeopata), passo boa parte do tempo ajudando as pessoas em seus relacionamentos, e uma das coisas que meus clientes mais costumam dizer sobre os capricornianos é: "Eles parecem estar sempre tristes". Bem, isso pode ir de um completo estado maníaco-depressivo à melancolia, passando pela falta de entusiasmo; e a maioria das queixas provém de signos de Fogo: Áries, Leão e Sagitário.

Os signos de Ar também reclamam um pouco, mas como eles não costumam se relacionar com capricornianos... Eu pensei em investigar para saber exatamente por que os capricornianos parecem tão infelizes e conversei com diversos nativos desse signo, pedi suas opiniões, conversei com os parceiros dos capricornianos e pesquisei homens e mulheres famosos (e não tão famosos) nascidos entre dezembro e janeiro. Foi uma experiência muito reveladora, e espero que, nas páginas deste livrinho, eu possa desfazer alguns mitos sobre esse signo, pois, se fôssemos acreditar em tudo que já foi escrito sobre Capricórnio, ficaríamos realmente melancólicos. Também gostaria de ilustrar seus pontos positivos e ajudá-lo a compreender o que os motiva, e, se você estiver com um capricorniano* desanimado, o que pode alegrá-lo. Vou orientá-lo também sobre formas de lidar, em função de seu próprio signo, com os capricornianos que você conhece.

Felicidade e Tristeza

Devo admitir que escrever este livro foi uma espécie de desafio. Compreender as motivações do ideal capricorniano envolveu longas reflexões sobre a natureza da felicidade... e da tristeza, pois Capricórnio é famoso por sua capacidade de ser sério.

Em minha primeira parada, fui perguntar a um criativo escritor e poeta capricorniano o que o fazia feliz.

---

* Para evitar a desagradável construção "meu capricorniano"/"minha capricorniana" etc., deixei tudo no masculino, mas a autora se refere tanto a homens quanto a mulheres de Capricórnio, exceto onde especificado. (N. do T.)

Introdução

James nasceu em Liverpool; seu pai é cirurgião e sua mãe é professora. Tem três irmãs; é o único filho homem e o segundo mais velho. Muito mais tarde, ele veio a descobrir que foi o único filho realmente planejado por seus pais. Durante a infância, seu pai se manteve relativamente ausente, trabalhando até tarde, e por isso ele cresceu em uma casa predominantemente feminina, com uma espécie de figura paterna sombria e distante, mas poderosa.

Ele não conseguiu entrar no ginásio no qual seus pais desejavam que ele estudasse, e por isso acabou indo para uma escola menos conceituada. Nela, muitos dos alunos achavam que ele era rico, pois não tinha o sotaque local. Alguns o ameaçavam. Ele não passou no exame para medicina, faculdade que seus pais queriam que ele cursasse, pois seu pendor ia mais para as artes e a criatividade. Seu pai morreu inesperadamente quando James tinha 17 anos. Ele saiu num fim de semana para praticar montanhismo em Ben Nevis, caiu e morreu.

Aos 18 anos, James conseguiu ingressar na faculdade de belas-artes, especializando-se em escultura. Foi um período empolgante e difícil ao mesmo tempo, pois ele não se sentia tão preparado para a vida na faculdade, longe de casa, como a maioria dos colegas, mas conseguiu fazer muitas e boas amizades, formando-se. Enquanto estava na faculdade, sua mãe tornou-se alcoólatra e passou algum tempo em uma clínica de reabilitação.

Depois, ele se mudou para Londres e passou muitos anos desempregado e drogado. Lidava com artes e artesanato, principalmente cerâmica, e chegou a ter um estúdio para trabalhar, mas nunca conseguiu sustentar-se de fato com sua criatividade. Entretanto ele não queria trocá-la por um "trabalho decente" e por isso fez diversos cursos voltados para desempregados, mantendo-se como autônomo por curtos períodos. Nessa época, passou mais ou menos um ano como funcionário de um hospital, empurrando pacientes em macas de um lado para o outro, mas saiu desse emprego assim que quitou suas dívidas. Certa noite, ele foi a um bar com show de calouros e decidiu que ia tentar declamar algumas de suas poesias. Ele gostou disso e, após alguns anos, tornou-se o organizador e anfitrião dessas noitadas, o que o levou a criar outros eventos. As amizades que fez nesse período ainda o acompanham.

"James", eu disse. "Quero lhe perguntar uma coisa. O que o faz feliz?"

O que me fez rir foi o modo como ele "tinha de me esclarecer" isso:

"Oi, Mary, vou responder a sua pergunta hoje à noite. Mas ainda estou tentando definir 'feliz'".

Que maravilha! Ele não ia conseguir responder à pergunta enquanto não tivesse definido felicidade.

Cinco horas depois, ele apareceu com uma resposta:

"O que me faz feliz?

Estar concentrado numa atividade (geralmente artística/criativa).

Estar concentrado numa experiência positiva (caminhar, criar, falar etc.). Ver reações positivas aos resultados de meus trabalhos (entreter uma plateia ou observar as pessoas admirando minha arte visual).

Ver que outras pessoas se beneficiam de meus esforços (quando estou apresentando um workshop ou organizando um evento – conseguir ver que o público ou os alunos têm a mesma sensação

que tive em situações similares no passado). Falta de preocupação/ ansiedade – geralmente quando estou 'vivendo no momento', seja em uma dessas situações de que falei ou quando me distraio das preocupações e tristezas da vida, ou seja, pela companhia, pela situação ou inebriando-me!
Segurança.
Liberdade".

"Como sei que você está feliz?", perguntei.

"Geralmente, estou em retrospecto. Mas estou me educando para apreciar momentos felizes, recuando mentalmente e revisando meu estado emocional. Às vezes, tenho uma sensação à qual dou o nome de 'invulnerabilidade', na qual, o que quer que alguém diga ou faça, nada irá me abalar, e divirto-me um pouco vendo o mundo com suas bizarrices.

Isso pode ser a felicidade.

Passo um bom tempo dentro da minha cabeça, geralmente estudando e repassando situações e buscando soluções para problemas que detecto. Quando não estou fazendo isso, creio que me sinto mais feliz. (Embora o processo de resolver problemas artísticos/ criativos costume ser uma experiência muito prazerosa.) Às vezes, se me flagro cantando para mim mesmo ou dançando sozinho, percebo que devo estar feliz; às vezes, isso é empolgação (e às vezes percebo que estou sem um motivo real para estar empolgado).

Esta é uma pergunta interessante. Eu não penso em mim mesmo como uma pessoa feliz (não seria 'alegre'?), e as pessoas costumam achar que sou triste porque não sorrio facilmente e posso levar as coisas a sério demais. Não sou uma dessas pessoas que conseguem dizer coisas como 'A cor verde me faz feliz' ou 'Meu cão me faz feliz'. Acredito que a felicidade seja um subproduto da situação, e que geralmente só pode ser identificada em retrospectiva. Possivelmente.

O pragmatismo seria uma característica capricorniana?"

Sim, o pragmatismo é uma característica de todo capricorniano. Vamos falar mais sobre isso em alguns instantes...

Depois, fiz a outro capricorniano a mesma pergunta.

Rachel mora no centro da cidade com o marido e uma filha pequena e trabalha em meio período como professora em uma escola antroposófica. Primeiro, ela comentou o que sua avó capricorniana costumava dizer a ela:

"Minha avó costumava falar: 'nós, capricornianos esforçados'. Ela era uma adorável e engraçada senhora que passou a cuidar de sua família de doze irmãos depois que sua mãe morreu com 40 e poucos anos por causa de um apêndice supurado".

"O que a faz feliz, Rachel?", eu perguntei.

"Minhas irmãs, embora nem sempre seja o caso, pois passo muito tempo com a minha família (para ser sincera, isso pode me deixar mais frustrada ainda) – mas definitivamente era o caso da minha avó capricorniana (mencionada antes), a felicidade era ter a família à sua volta, mas dois de seus bebês morreram com um ano de idade e, durante a guerra, ela teve de correr pelas ruas bombardeadas levando seu outro bebê e um filho pequeno em meio às explosões. Creio que ela nunca tenha considerado a felicidade como uma coisa 'garantida', ela apreciava os momentos felizes e o convívio, evocando lembranças engraçadas, rindo sem parar até as lágrimas escorrerem pelo rosto.

Introdução

Minha prima, também capricorniana, diverte-se muito com as coisas engraçadas que as crianças dizem (ela nunca fala das 'façanhas' de seus filhos), mas sempre tem um punhado de histórias engraçadas sobre coisas que disseram, num tom meio autodepreciativo, mas sempre hilariante."

Depois, perguntei a outra capricorniana, Lisa, o que a fazia feliz e como ela sabia que estava feliz.

Eis a sua resposta:

"Receber inspiração, especialmente do mundo natural (desde um efeito de luz passageiro até a majestade das montanhas); desafiar-me e ter êxito nesse desafio. Sei quando estou feliz, o que deve ser incomum para um capricorniano, pois ou estou em alta (o que é normal para mim, certamente ao longo dos meus 40 anos) ou em baixa (o que é relativamente raro) – dificilmente estou no meio do caminho. Eu diria que, quando estou mesmo feliz, tenho uma sensação avassaladora de bem-estar".

Depois, fiz a última pergunta: "Numa escala de 1 a 10 (10 sendo alto e 1 sendo baixo), qual o seu grau de pragmatismo?". "8", foi sua resposta...

Portanto temos aqui, "na boca do forno", três exemplos daquilo que deixa feliz um capricorniano... mas isso não é o mesmo que animar alguém. Vamos tratar disso depois.

Antes de tudo, precisamos conhecer um pouco a Astrologia e seu contexto, para que possamos avaliar, de forma astrológica, que tipo de capricorniano estamos namorando, educando como pais ou tendo como colega.

Para um relato mais abrangente da história da Astrologia, veja, por favor, meu primeiro livro, *Como Sobreviver a um Pisciano*, ou o detalhado relato sobre o início da Astrologia apresentado por Nick Campion em seus dois livros, *The Dawn of Astrology* e *The Golden Age of Astrology*:

> A astrologia não é uma prática ou ideia isolada; ela inclui inúmeras narrativas sobre a natureza do mundo. Se examinarmos com cuidado a sua história, veremos que ela é descrita como uma forma de magia, um sistema de predição, um modelo de desenvolvimento psicológico, uma ciência, uma ferramenta espiritual, uma religião e um sistema divinatório, definições que não são mutuamente exclusivas.[1]

Ou, como diz Franz Cumont em seu *Astrology and Religion Among the Greeks and Romans*:

> A Astrologia é uma tradução inglesa de uma tradução latina de uma tradução grega de uma nomenclatura* babilônia.

Sabemos muito bem que aquilo que os babilônios viam como planetas viajando por constelações do céu é hoje o céu dividido em doze partes iguais, e cada "parte" é um signo do Zodíaco, sendo a primeira parte Áries. Não usamos mais as constelações do céu nomeadas segundo certos deuses e lembradas hoje como os diversos signos solares, como Gêmeos. Não, hoje nossa Astrologia é calculada a partir do solstício da primavera,

---

* Sistema de nomes atribuídos a objetos ou itens de uma determinada ciência ou arte. (N. da A.)

Áries,* até o solstício de outono, Libra, e todas as outras partes do céu são divididas igualmente pelos outros dez signos. Um pouco como a tabela periódica: suas linhas e seus níveis não existem de fato; são apenas uma forma de registrar os pesos atômicos de cada elemento da natureza. É uma "obra em andamento". A Astrologia é a mesma coisa. Ela não é finita, e descobrimos coisas novas o tempo todo.

Os movimentos dos planetas que passam pelos signos do Zodíaco são registrados numa publicação chamada "Efemérides". É aí que entra a matemática, motivo pelo qual o cálculo de um Horóscopo ou Mapa Astral é tão mais fácil hoje em dia. Os computadores aceleraram a capacidade de refinar a informação. E só para registro, a Lua e o Sol não são planetas.

Planeta: corpo celeste que gira ao redor do Sol.

Estrela: com exceção da Lua e dos planetas, todo ponto fixo de luz no céu é uma estrela, inclusive o Sol.

Na Astrologia, usamos a expressão "planeta" para todos os corpos de que nos valemos. Por isso, se você me flagrar chamando o Sol de planeta, é porque uso uma expressão astrológica, e não aquela utilizada em astronomia.

Há dois tipos de Astrologia praticada no Ocidente. A Astrologia Tropical, que dá a posição de um planeta pelo signo, e a Sideral, que dá sua posição pela constelação. Há mais de 4 mil anos, no equinócio vernal, o primeiro dia da primavera,** o Sol

---

* A autora se refere ao Hemisfério Norte. (N. do T.)
** A autora estará sempre se referindo às estações do Hemisfério Norte. (N. do T.)

estava na constelação de Áries. Agora, em função da oscilação da Terra sobre seu eixo e de uma coisa chamada "precessão", o Sol entra no signo de Áries, mas na constelação de Peixes. Eu pratico a Astrologia Tropical, levando em conta o fato de a posição atual dos planetas ter certo deslocamento. Os dois sistemas têm seu valor, e não existe "certo" ou "errado". Só prefiro o mais antigo.

Como há dez "planetas" que levamos em conta num mapa, fazer um resumo preciso de seu potencial pode ser assustador para um novato, e por isso, no que diz respeito a este livro e em nome da simplicidade, vamos nos concentrar apenas em três fatores importantes: o Ascendente (o "momento" do nascimento), a "casa" em que o Sol se encontra, e o signo da Lua.

Vejo a Astrologia como uma forma elegante de compreender as pessoas, e, se pudermos nos entender melhor, o mundo será um lugar mais amigável. Portanto, a seguir vamos conhecer o signo que desejamos ajudar a se "animar".

Capítulo 1

♑ O signo: sério, responsável, estoico, pragmático ♑

Para saber se alguém é realmente de Capricórnio, você vai precisar usar um bom programa de computador ou pedir a um astrólogo que calcule o mapa. Para os propósitos deste livro, tudo de que *você* irá precisar é um bom site da internet, usado pelos astrólogos: www.astro.com.

As datas de nascimento para capricornianos *geralmente* vão de 22 de dezembro a 20 de janeiro. É nesse período que o Sol percorre a parte do céu que os astrólogos chamam de Capricórnio. No entanto, essas datas podem variar, pois o Sol não se move no mesmo ritmo que os dias do mês, uma vez que temos meses com apenas trinta dias e eles variam de ano para ano, e além disso, depende de onde nasceu o seu capricorniano.

Você vai obter um resultado diferente ao confrontar alguém nascido na Austrália e outro nascido na Alemanha, por isso confira naquele site e certifique-se de que seu capricorniano é mesmo um capricorniano, pois se ele nasceu no começo da manhã, digamos, às 2h de 22 de dezembro de 1979 em Londres, ele será sagitariano; se nasceu às 18h do mesmo dia em Berlim, na Alemanha, será um capricorniano.

Lembre-se, confira duas vezes as datas e os horários.

A. A. A. = Accuracy Aids Adaptation (a precisão ajuda a adaptação)

Bem, agora você sabe que tem um capricorniano na sua vida. O que é um capricorniano?

Que palavras usamos para descrever essa espécie incomum?

Para fins de equilíbrio (eu tenho o Sol na sétima casa), achei interessante consultar alguns livros de referência astrológica para ver que palavras foram usadas no passado.

Vamos voltar no tempo e perguntar a Colin Evans, editor de *The New Waite's Compendium of Natal Astrology*, de 1971, e ver o que ele diz:

> Os indivíduos de Capricórnio são econômicos, práticos, perseverantes, astutos, diplomáticos, reservados e cautelosos.[2]

Uau! São palavras que parecem realmente sérias, não? Será que todos os capricornianos são assim?

Vamos perguntar para outra pessoa. Eis o que diz Terry Dwyer, autor de *How to Write an Astrological Synthesis*, de 1985:

> Disciplinados, sérios, convencionais, de mentalidade estreita, severos, pessimistas, cautelosos, calculistas, prudentes, sovinas, ambiciosos e insensíveis.[3]

Hummm, não parece muito melhor, parece? Você gostaria de ser descrito dessa maneira? Essa descrição tem fundamento?

Vamos perguntar para uma mulher. Eis os pensamentos de Mary Coleman em seu livro *Picking Your Perfect Partner Through Astrology*, de 1996:

♑ O signo: sério, responsável, estoico, pragmático ♑

Providente, metódico, introvertido, orientado pelo prestígio e prático... inventivo, autodisciplinado e obediente... severo, conservador e sem espontaneidade.[4]

Humm, parece-se com um fiscal do Imposto de Renda – será que esses sujeitos são humanos?

Vamos ver o que diz Linda Goodman, uma maravilhosa astróloga que influenciou três gerações de aficionado pela Astrologia:

> Há sempre uma leve aura de melancolia e seriedade envolvendo a personalidade saturnina.[5]

Não é tão mal, mas ainda é um pouco negativo.

Vamos ver agora o que Maritha Pottenger pensa sobre as pessoas com o Sol em Capricórnio. Suas principais palavras são:

> responsabilidade, tradição, autoridade, carreira.[6]

Com certeza, parece que algumas palavras estão se repetindo.

Vamos voltar para Donna Cunningham, em 1999:

> Pessoas com o Sol em Capricórnio precisam do sucesso para sua autoestima e para a aprovação dos pais, que é necessária para a autoestima.[7]

E por último, mas não menos importante, Marion D. March e Joan McEvers, em *The Only Way To Learn Astrology*,* usam as seguintes palavras:

> Cauteloso, responsável, escrupuloso, convencional, metódico, perfeccionista, prático, esforçado, econômico, sério (essa palavra de novo), egoísta, dominador, fatalista, teimoso, emburrado, inibido e alpinista social.[8]

Certo, acho que você já captou a mensagem. Os capricornianos são teimosos, orientados para a carreira, solitários e sérios... de onde essas ideias vieram?

Tudo isso é verdade?

Bem, como tudo na vida, algumas coisas são verdade e outras ou são um exagero ou um monte de mentiras... mas qualquer que seja a sua perspectiva, sua capricorniana ideal *não* vai correr de um lado para o outro em um tutu, usando vestidos rosa fofos e preocupando-se com o batom.

Nem mesmo a Kate Moss... elas são pessoas reservadas:

> *"Obrigada por seu interesse por Kate e por seu e-mail. Kate é uma pessoa muito reservada, e não podemos lhe dar os detalhes que você pediu. Desculpe-nos, mas nunca discutimos a vida particular dela."*

E olhe que só perguntei o horário de seu nascimento para poder calcular seu Mapa Astral correto. Eu não pedi seu saldo bancário ou o nome de seu namorado. *Suspiro.* Creio que tem a

---

* *Curso Básico de Astrologia*, publicado pela Editora Pensamento, São Paulo, 1988. (N. do T.)

♑ O signo: sério, responsável, estoico, pragmático ♑

ver com o fato de sua Lua estar em Escorpião, mas vamos falar da Lua logo mais.

Após algumas análises e conversas com o maior número possível de clientes capricornianos e parentes de capricornianos, resolvi que as melhores palavras para descrever um capricorniano seriam: Sério, Responsável, Estoico, Pragmático.

Sério

O *Oxford English Dictionary* contemporâneo define "sério" como:

> atencioso, solene, que exige análise, sincero, não (apenas) frívolo.

Adorei o final: "não" frívolo, com certeza essa seria uma expressão que eu usaria para descrever um capricorniano!

Se formos um pouco além da Astrologia para saber o que um autor capricorniano escreveu (sem perceber) sobre o signo e sobre ele mesmo, veremos que as descrições acima não estão muito longe do alvo.

> Quando ele [Christopher Robin] estava com 3 anos, alugamos uma casa no norte de Gales para o mês de agosto com a família de Nigel Playfairs. Choveu sem parar... Numa semana, a agorafobia me deixou desesperado. Eu precisava escapar de qualquer forma. Roguei por uma inspiração urgente, peguei um lápis e um caderno de exercícios e fugi para a cabana. Lá, havia uma cadeira e uma mesa. Sentei-me na cadeira, pus o caderno sobre a mesa e contemplei em êxtase uma parede de bruma que poderia estar ocultando a cidade de Snowdown ou o lago Serpentine. Eu estava só...

Assim... com um caderno de exercícios e um lápis e a determinação fixa de não deixar a solidão celestial daquela cabana enquanto não parasse de chover, e lá em Londres haveria duas pessoas me dizendo o que escrever, e ali, do outro lado do gramado, havia uma criança com quem eu vivia fazia três anos... e ali em meu íntimo havia lembranças inesquecíveis de minha própria infância... e sobre o que eu escrevia? Obviamente, um livro de poemas infantis.

Não um livro inteiro, claro; mas escrever alguns poemas seria divertido – até eu me cansar daquilo. Além disso, meu lápis tinha uma borracha na ponta; tudo de que precisava para minha poesia. Passei onze dias úmidos naquela casa e escrevi onze estrofes. Depois, voltamos para Londres.

Quase me desculpando, achando que isso não ia dar certo, achando que um homem com personalidade mais forte estaria escrevendo uma história de detetive, ganhando £ 2.000 para sua família; como se eu me esgueirasse até o Lord's de manhã ou ficasse deitado numa espreguiçadeira em Osborne lendo um romance, continuei a escrever poemas. No fim do ano, tinha o suficiente para um livro.[9]

Neste pequeno trecho fantástico, A. A. Milne,* que era capricorniano, não consegue nem *pensar* que deveria ganhar dinheiro fazendo alguma coisa de que gosta. Ele acha que isso é como "esgueirar-se até o Lord's" ou "deitar-se numa espreguiçadeira" e que uma "personalidade mais forte" escreveria algo (alerta de palavra-chave capricorniana) "sério" como uma história de detetive.

---

* Alan Alexander Milne (1882-1956), escritor britânico que ficou famoso com uma série de livros sobre um urso de pelúcia chamado Winnie-the-Pooh.

Também é possível ver a personalidade de Milne infiltrando-se em outros textos.

Com o personagem Bisonho, dos livros do Ursinho Pooh, temos diálogos como este:

– Algum problema? Você parece tão triste, Bisonho.
– Triste? Por que eu não deveria estar triste? É meu aniversário, o dia mais feliz do ano.
– Seu aniversário? – disse Pooh, muito surpreso.
– Claro que é. Não vê? Olhe só quantos presentes eu ganhei.

Ele tateou o local com a pata.

– Veja o bolo de aniversário. As velas e o açúcar rosa.

Pooh olhou, primeiro para a esquerda e depois para a direita.

– Presentes? – disse Pooh. – Bolo de aniversário? – perguntou Pooh. – Onde?
– Não os vê?
– Não – disse Pooh.
– Nem eu – disse Bisonho. – Brincadeira – explicou. – Haha!

Pooh coçou a cabeça, um pouco intrigado com aquilo tudo.

– Mas é seu aniversário mesmo? – ele perguntou.
– É.
– Ah! Bem, parabéns pelo seu dia, Bisonho.
– E parabéns para você também, Ursinho Pooh.
– Mas não é o meu aniversário.
– Não, é o meu.
– Mas você disse "parabéns pelo seu dia...".
– Bem, e por que não? Você não vai querer se sentir péssimo no meu aniversário, vai?

– Ah, entendi – disse Pooh.

– Já não basta – disse Bisonho, quase chorando – me sentir péssimo, sem presentes e sem bolo e sem velas, e sem que alguém me perceba, mas se outra pessoa também se sentir mal...[10]

Tenho uma teoria: a de que você só consegue escrever bem sobre alguma coisa se você tiver passado por ela pessoalmente, e creio que Bisonho faz parte de A. A. Milne. Seria o seu eu interior?

Será que é por isso que ele conseguiu descrever tão bem como "ele" se sentiria se o "seu" aniversário fosse esquecido? Será esse um modo capricorniano de lidar com a emoção de um aniversário que não é lembrado?

Ele está arrasado pelo fato de nenhum de seus amigos ter se lembrado de seu aniversário, por não ter bolos ou velas, e, em vez de ficar choramingando pelos cantos, ele está sendo sarcástico, mostrando-se magoado e inacessível.

Não que outros signos não se *sintam* assim, mas um capricorniano não vai "fazer" nada se o seu orgulho for ferido ou se tiver sido menosprezado. Ele dá de ombros e usa o caso como prova de que às vezes o mundo pode ser um lugar pouco útil.

Temos aqui uma capricorniana "dos dias atuais" falando de seu signo.

Recentemente, Amanda se aposentou de seu trabalho de grande responsabilidade na área de saúde. Agora, ela mora sozinha e passa o tempo dedicando-se a atividades criativas:

"Creio mesmo que sou capricorniana em todos os sentidos; apesar de restar aquela incômoda objeção que algumas pessoas mani-

♑ O signo: sério, responsável, estoico, pragmático ♑

festam com relação à 'suspeitosa compatibilidade' dos signos do Zodíaco com todo mundo – será que as pessoas querem subconscientemente refletir os aspectos positivos de seus signos, por exemplo? Creio que não. Parece que há coincidências demais na vida para que isso seja verdade, se é que há mesmo coincidências... Bem, pessoalmente, sou uma pessoa reservada (com modos impecáveis, aha!) e também me comporto de forma muito cautelosa. Tenho, de fato, algumas metas ambiciosas na carreira, mas não sou, de modo algum, uma garota maluca, com esperanças e sonhos tolos; isso oculta um de meus traços mais negativos – às vezes, sou um pouco pessimista, o que pode me causar problemas, acredite –, culpo minha tendência perfeccionista. Minha melhor amiga é canceriana – e não me surpreendi quando descobri que nossos signos são muito compatíveis um com o outro. E no que diz respeito a amizades... bem, admito que às vezes para mim é difícil ser sociável, pois sou meio tímida (mas não depois de uma garrafa de vinho rosé... nossa!), mas pelo menos meus amigos consideram divertido meu senso de humor, particularmente minhas famosas (ou será que são infames?) frases de efeito! Por isso, vamos em frente. Recentemente, li esta citação sobre capricornianos num site de Astrologia: 'Eles são as vozes da razão num mundo caótico.' Definitivamente, espero que sim!"

Amanda admite abertamente "ser cautelosa", e gostei da parte em que fala de não ser "uma garota maluca, com esperanças e sonhos tolos".

Logo, arquive no fundo de sua mente a palavra *sério*, pois ela fará mais sentido depois que você conhecer as outras qualidades capricornianas.

Responsável

"Cujas ações são moralmente justificáveis", eis como meu *Oxford English Dictionary* descreve a palavra "responsável". Assim, à luz dessa definição, vamos ver como os capricornianos lidam de fato com a responsabilidade.

A julgar por minhas próprias observações pessoais, os capricornianos gostam de ter certa dose de responsabilidade. Eles gostam de sentir que estão dirigindo ou supervisionando ou participando de algo "importante", dependendo de onde está a importância.

Você também deve levar em consideração o seguinte fato: os clientes que atendo em meu consultório particular não estão felizes. Eles não me telefonam para marcar uma consulta porque acabaram de ganhar na loteria, eles me ligam porque "aconteceu uma coisa" e precisam de ajuda/orientação/apoio para tomar uma decisão.

É estranho, mas enquanto escrevia este livro, atendi mais capricornianos do que a média habitual, o que foi muito útil para a pesquisa. Um deles estava se divorciando e precisava "entender" as finanças; uma pessoa estava preocupada porque achava que seu filho e ela tinham rompido relações, mas não sabia bem ao certo a razão. Outra estava muito doente e não recebia amparo da área médica, e precisava que eu a ajudasse a obter o diagnóstico de que necessitava para poder receber o tratamento certo.

Todos esses clientes me procuraram, não no instante em que alguma coisa aconteceu (ao contrário dos signos de Fogo, que pegam no telefone no momento em que as coisas estão ocorrendo!), mas após um longo período de tristeza e conflito relacionados aos problemas. Seu "status" e sua posição de responsabilidade tinham sido alterados, e eles queriam voltar exatamente para o ponto em que estavam antes de "tudo dar errado".

Bem, e de que tipo de responsabilidade os capricornianos gostam?

Antes de tudo, não acho que devamos usar a palavra "gostar". Eles não gostam das responsabilidades assim como você "gostaria" de tomar um sorvete, eles simplesmente se sentem melhor quando têm alguma responsabilidade na vida.

A mãe de Capricórnio vai se sentir melhor ao saber que todos os esforços que direcionou para a educação de sua filha trouxeram os resultados que ela esperava. Um bom emprego ou um curso universitário. Resultados sensatos, focados no futuro.

As coisas podem se complicar um pouco se a criança for teimosa ou relapsa e não quiser ir para a faculdade – ou pior, quiser montar uma banda de rock!

O pai de Capricórnio pode esperar boas notas do filho, almejando notas 9 ou 10, uma bela ambição para o capricorniano, mas que pode causar o caos num aquariano ou pisciano.

Muitos pais tentam fazer com que seus filhos realizem suas ambições frustradas, o que, em minha opinião, é uma vergonha. Seria muito melhor que os filhos realizassem seus próprios desejos e sonhos... e fossem felizes.

Bem, obviamente, nem todos fracassam naquilo que fazem. Algumas pessoas são fortes o suficiente para descobrir seu caminho na vida e percorrê-lo.

Isaac Newton e a Casa Real da Moeda

Um exemplo capricorniano clássico de alguém que gasta muita energia em seu caminho de vida, mas acaba chegando aonde quer é Isaac Newton, lembrado por sua descoberta/compreensão/explicação da gravidade. Porém ele passou a primeira parte da vida em condições que derrotariam qualquer homem moderno.

Seu pai morreu antes mesmo que ele nascesse, sua mãe se casou novamente e ele foi morar com a avó. Ele detestava o padrasto, que também morreu, e sua mãe casou-se novamente.

A mãe queria que ele fosse fazendeiro. Um professor de sua escola convenceu a mãe a permitir que Newton prosseguisse em seus estudos, e o resto, como costumam dizer, é história.

Ele ingressou na Universidade de Cambridge com 18 anos e teve de "trabalhar para estudar", passando 35 anos lá estudando e depois dando aulas. Quando estava com 53 anos, em vez de aceitar o cargo de professor, ele foi trabalhar na Casa Real da Moeda em Londres. Ele passou mais de vinte anos de sua vida profissional na Casa da Moeda, e foi responsável pela manutenção e pela contabilidade das reservas de ouro da Inglaterra.

Bem, desculpe-me se dei a impressão de estar trivializando sua vida, mas "ser responsável" pela reserva de ouro do país me parece um trabalho de razoável responsabilidade. Não é algo que eu gostaria de fazer. Esse capricorniano em particular se manteve focado em sua meta futura, não permitiu que ninguém interferisse, subiu firme e lentamente até chegar a um cargo de grande responsabilidade.

Bem, nem sempre o capricorniano atinge esse nível de responsabilidade. Ele pode ser responsável por coisas bem mais modestas, mas ainda importantes, como sua família ou seu emprego, ou por parte da empresa na qual trabalha. Seja o que for, ele vai gostar de ter essa responsabilidade.

Os clientes que recebo são aqueles que *perderam* essa responsabilidade. Perderam o emprego ou até a saúde, a esposa, o marido, e isso, para um capricorniano, é um fardo pesado.

Eles podem ser responsáveis pelo bom funcionamento de uma ala de hospital. Penso naquelas enfermeiras antigas, verdadeiras matronas, como sendo de Capricórnio. Administrando tudo de forma organizada. Ou um designer, responsável pelo *layout* perfeito de uma revista, incluindo todos os anúncios relevantes. Ou o principal jardineiro de uma grande propriedade, assegurando-se de que as plantas estão sendo bem cuidadas e de que a equipe é pontual, está uniformizada produzindo bem.

O capricorniano vai querer ser responsável por alguma coisa ou alguém, e vai querer ser cobrado por isso.

Estoico

Os estoicos eram membros de uma antiga escola grega de filosofia que acreditavam que as emoções e uma postura de "vale tudo" não eram a melhor maneira para se viver com felicidade.

"Membro de uma antiga escola grega de filosofia que asseverava que a felicidade só pode ser obtida aceitando-se os altos e baixos da vida como produtos de um destino inalterável. A escola foi fundada em torno de 308 a.C. por Zeno."

Eles acreditavam em moderação.

Em ter sentimentos e pensamentos, sem serem governados por eles.

Hoje, a palavra significa "Que mostra admirável paciência e resistência em face da adversidade, sem reclamar ou se deixar perturbar".

Outras palavras associadas com estoicismo no Roget's Thesaurus são inexcitabilidade, paciência e calma.

Uma coisa que me tocou enquanto escrevia este livro foi o nível de estoicismo que os capricornianos apresentam, mesmo contra todas as probabilidades. Isso é bem diferente de ser sanguinário ou ter ideia fixa. É a capacidade de suportar coisas das quais outras pessoas fugiriam correndo.

E por que eles são assim?

Minha irmã mais nova, que tem Síndrome de Down e para quem dediquei este livro, é capricorniana e passou meses triste e com a saúde precária. Ela precisou chegar a um estado de saúde muito ruim até alguém fazer alguma coisa, mas fiquei espantada com seu estoicismo. Embora estivesse sofrendo, quando lhe "disseram" que tudo estava bem, em vez de discutir e de criar confusão, ela começou a desvanecer. E, diferentemente de um signo de Fogo, que estaria esperneando, gritando com todos e avisando que estava sofrendo, ou de um signo de Ar, que iria pedir a opinião médica de todos que conhecesse, inclusive do carteiro, ou de um signo de Água, que teria passado horas chorando e afundando em meio aos lenços de papel, ela seguiu em frente, repetindo que estava com dores... até cair no meio da cozinha e ser levada para o hospital.

Tivemos de passar por muitos aborrecimentos, visitas ao hospital e horas de consultas para sua saúde voltar a melhorar. *Acredite* num signo de Terra quando ele lhe diz que não está se sentindo bem, e, se for um capricorniano e disser que não está se sentindo bem, preste *muita* atenção, pois o que para ele é um mal-estar, pode ser a sua versão de *paciente terminal*.

Por que os capricornianos ficam em empregos ou em situações que fariam os signos de Ar sair correndo ou os signos de Fogo recuar?

Isso se deve a dois pontos: seu planeta regente, Saturno, que os leva a "fazer o que é de sua responsabilidade", e sua capacidade de "esforçar-se para realizar uma meta futura".

Conheço mulheres de Capricórnio que se mantêm em relacionamentos insatisfatórios porque querem o *status* que o casamento lhes confere, e porque têm a esperança de que, em algum ponto do futuro, poderão "viver seu sonho". Elas vão tolerar muito sofrimento na esperança de que as coisas melhorem e elas atinjam o lugar de suas expectativas pessoais. Os signos de Terra não se apressam. E os capricornianos trabalham mentalmente pensando no futuro. Espanta-me como conseguem isso. Talvez a esperança de que as coisas melhorarão permita-lhes suportar baques emocionais que deixariam sem fôlego um signo de Água.

E os capricornianos sabem esperar. Eles podem ter um histórico pessoal com sérias desvantagens e atingir o Nirvana simplesmente pelo fato de desejarem chegar ao cume da montanha figurativa.

Elvis Presley, o Homem que "Não Sabe Cantar"

Elvis Presley teve origens muito humildes. Volta e meia, sua família se valia da ajuda de vizinhos e recebia alimentos do governo. No curso primário, seus professores o consideraram "mediano", e quando cursava a sexta série, em setembro de 1946, Presley foi considerado "solitário". Elvis recebeu nota "C" em música na oitava série. Costumava ser tímido demais para se apresentar em público, e de vez em quando era importunado por colegas que o consideravam "filhinho da mamãe".

Com 18 anos, ele fez sua primeira gravação nos estúdios da Sun Records e com 19 anos não passou num teste para um quarteto vocal da cidade. Ele explicou para o pai: "Disseram-me que não sei cantar". Depois, começou a trabalhar como motorista de caminhão e procurou uma banda local para ocupar a posição de vocalista, mas eles recomendaram a Elvis que ficasse em seu caminhão, "porque você nunca vai conseguir nada como cantor".

O que temos aqui é a breve história de um homem que se tornou um dos mais conhecidos cantores do mundo, que ouviu várias vezes que o que ele fazia e quem ele era não representavam grande coisa. Esse homem, quer se goste dele, quer o deteste, gravou dezoito LPs e trinta compactos que chegaram ao número 1 das paradas.[11]

Clientes que tenho atendido querem que eu entenda que eles "ficaram firmes" em situações de dificuldades ou em circunstâncias terríveis, mas conseguiram vencer. Eles querem que eu reconheça que eles têm perseverança, que eles podem vencer a oposição apenas com a força de vontade.

Pragmático

Às vezes, para compreender uma palavra, precisamos analisar outras associadas a ela. No Thesaurus, os sinônimos de "pragmático" são: prático, realista, teimoso, sensato, objetivo, pé no chão.

Não são coisas que, durante anos, temos dito que os capricornianos são? Não são exemplos básicos das qualidades segundo as quais os capricornianos gostam de viver?

O *Encarta Dictionary* descreve "pragmático" como "mais preocupado com resultados práticos do que com teorias e princípios".

No entanto não me pergunte de onde veio a ideia de que os capricornianos são pragmáticos. Não tenho certeza. Imagino que seja um desses memes. Sempre que se repete alguma coisa durante tempo suficiente e ela é passada de geração em geração, ela se torna um fato. Estou o ajudando a compreender um pouco melhor a Astrologia Ocidental e como nós, no Ocidente, empregamos certas palavras e as relacionamos a determinadas características de cada signo estelar.

Então, pragmático.

Qual o grau de pragmatismo dos capricornianos?

Novamente, isso vai depender da posição do Sol em seu mapa, do signo da Lua e do signo do Ascendente; mas o que eles têm em comum é a necessidade de organizar as "coisas" práticas da vida antes de levarem em conta algo mais sofisticado.

Se estou fazendo uma leitura para um capricorniano, ele quer saber exatamente, antes que eu comece, o que eu vou "fazer". Ele sempre quer fatos reais, palpáveis. Não adianta ficar tagarelando sobre outros assuntos. Eles querem ouvir que são capazes de lidar com suas finanças, conseguir pagar as dívidas, resolver complicações do divórcio, vender a casa, conseguir uma promoção... Tenho certeza de que você entendeu como é. E, na maior parte das vezes, eu nem *chego* a atender capricornianos, a menos que alguma coisa realmente horrível esteja acontecendo em sua vida e que isso já perdure há algum tempo.

O Dinheiro de McCartney

Vou dar um pequeno exemplo. Heather Mills é capricorniana e tem a Lua em Gêmeos. Paul McCartney, seu ex-marido, é geminiano com a Lua em Leão. Quando eles se divorciaram, o aspecto mais divulgado de seu divórcio foi o acordo financeiro. Ela não queria um simples acordo, queria uma quantia específica. Isso é ser prático.

Eles não estavam discutindo sobre quem ia ficar com a filha, ou onde iam morar, ou quem ficava com que nome, mas o valor do acordo, que o juiz finalmente fixou, "concedendo" a Heather £ 24,3 milhões.

E o que mais sabemos do pragmatismo capricorniano?

Ceroulas e Coletes de Lã

A mãe de uma amiga minha era capricorniana. Ambas se relacionavam muito bem e minha amiga se lembra dela como uma pessoa prática e atenciosa. Quando minha amiga era mais nova, uma família se mudou para a casa ao lado e a mãe dela ficou preocupada com o fato de serem evidentemente muito pobres. Ela pegou um cobertor de tricô, desfez a malha, lavou a lã e a pendurou para secar no varal, e depois usou a lã para fazer roupas para as crianças.

Coletes e ceroulas.

Isso aconteceu logo depois da Segunda Guerra Mundial, e o racionamento ainda estava em vigor, por isso as coisas eram escassas; mas sua mãe encontrou tempo e recursos para garantir que aquelas pessoas se sentissem melhor. Se vendedores de quinquilharias batessem à porta para lhe vender alguma coisa, ela os convidava para entrar e lhes oferecia comida e uma xícara de chá. Se alguém estivesse pior do que ela, ela encontrava maneiras práticas e sensatas de ajudá-lo.

Na maior parte do tempo, a maioria das pessoas já organizou as coisas mais básicas da vida. Elas têm renda, uma casa, talvez um parceiro, quem sabe alguns filhos e passatempos. Essas são pessoas que eu não recebo em meu consultório. Mas se alguém perde o emprego, rompe um relacionamento, tem um caso, fica muito doente, perde a casa ou briga com algum familiar, daí marca uma consulta comigo.

Não quero que você tenha a impressão de que todos os capricornianos estão ocupados construindo grandes impérios ou obcecados por dinheiro. Não estão. O que vejo nos meus atendimentos são clientes cujos mundos ruíram, e minha tarefa consiste em ajudá-los a voltar ao normal. Assim, quando digo que os clientes capricornianos que atendo estão preocupados com o casamento, com a casa e com a renda, é porque essas são coisas que antes considerávamos garantidas, mas que se foram. E estou tentando mostrar o que é importante para esse signo. E essas são coisas muito importantes para um capricorniano, pois eles não as consideram garantidas.

Ambiente Estável

Bernie é uma capricorniana que mora nos Estados Unidos e é gerente em uma repartição municipal. Ela tem a Lua em Aquário. Quando lhe perguntei o que a faz feliz, e como ela sabe que está feliz, ela respondeu:

"Sei que estou feliz quando estou totalmente concentrada no momento e nada mais interessa... minha família me faz feliz, e saber

que todos à minha volta estão contentes. Também preciso de um tempo SOZINHA, para pôr minha cabeça no lugar... também estou feliz quando meu ambiente é estável. Emprego, casa, carro, tudo precisa estar em ordem".

Além da família, ela precisa de estabilidade em relação a seu trabalho, sua casa e seu carro. Sem essas coisas práticas num mundo capricorniano, sua vida não tem sentido, pois o significado de sua vida é obtido no mundo real. Ao contrário do mundo pisciano, vivido nos lugares onde moram as fadas ou onde os sonhos acontecem.

Portanto lembre-se de que seu capricorniano vive neste mundo real, e não há como alegrá-lo quando as coisas estão confusas. Os itens básicos e práticos do cotidiano precisam ser resolvidos antes que qualquer coisa amena possa acontecer.

Saturno

Para entender plenamente cada signo solar, precisamos compreender as imagens e ideias de seu regente planetário.

Todos os signos do Zodíaco têm um planeta que cuida deles. Chamamo-lo de regente planetário.

O planeta que "cuida" de Capricórnio é Saturno. Quando falamos em regente, estamos tratando figurativamente (e não literalmente) do planeta que foi considerado seu chefe. Não fique preocupado com a palavra, considere-a o "Eu Superior" do signo.

Pobre e velho Saturno. Que imagem ruim esse sujeito tem transmitido! Morte, destruição, atrasos, o Anjo da Morte. Faz com que você queira fechar o livro e se esquecer de tudo (se

♑ O signo: sério, responsável, estoico, pragmático ♑

você tiver planetas em Gêmeos), mas vamos perseverar e compreender Saturno e seus atributos, pois sem ele estaríamos perdidos, vagando por aí.

A História de Saturno

Saturno fez sua primeira aparição local, como um planeta no céu noturno, observado pelos babilônios. Eles refletiram sobre o planeta e o contemplaram há milhares de anos, e ele ainda percorre lentamente o firmamento. Nada mudou. O que mudou foi a percepção que temos sobre ele. Na verdade, segundo o que sabemos hoje, Saturno é o mais distante planeta visível a olho nu, e, diferentemente da Terra, não tem superfície para se caminhar e é constituído principalmente por gases e líquidos. Ele está cercado por belos anéis formados pelos restos de pequenas luas ou asteroides que foram destruídos há milhões de anos.

Os babilônios deram-lhe o nome do deus Ninurta, mas não foram atribuídas muitas coisas a ele nos textos escritos, pois ele era o planeta mais lento e o mais fracamente visível.

A mera ausência de variedade em sua aparência e a sua localização significavam que, em termos puramente funcionais, ele era bem menos útil do que a Lua, digamos, como fonte de presságios. Nesse sentido, a Astrologia era pragmática. Ela trabalhava com os materiais que tinha à mão, o que nem sempre reflete as prioridades teológicas.[12]

O Planeta Mais Temido

Só depois que os antigos gregos adotaram a Astrologia é que Saturno foi descrito com algum detalhamento, e então ele passou a ser representado pela face severa de Cronos, pai de Zeus. Conforme a Astrologia progrediu pelo mundo, do Oriente para o Ocidente, ele foi assumindo características diferentes, sendo descrito de formas distintas até a Astrologia chegar ao Ocidente e Saturno tornar-se uma parte claramente negativa do Mapa Astral.

> Na Antiguidade e na época medieval, Saturno era o mais temido dentre os planetas. Imaginava-se que sua influência era quase nefasta, governando a velhice, a doença, a morte, a prisão, e infligindo melancolia, frieza e inibição.[13]

Saturno é o planeta mais distante do Sol ainda visível a olho nu, como dissemos antes, motivo pelo qual os antigos procuraram determinar sua trajetória e depois escreveram sobre ele. Na Astrologia moderna, Saturno é visto mais como uma restrição, e não como o "fim do mundo tal como o conhecemos". Desculpe dizer isto, mas quando Saturno transita sobre partes de seu mapa, certamente você sente seus efeitos.

Minha prática pessoal fica mais agitada quando um signo solar tem Saturno transitando por ele. Os efeitos duram dois anos, e por isso tenho uma espécie de ciclo de clientes com problemas variados (dependendo do signo deles). Enquanto escrevo este livro, Saturno está transitando pelo signo de Libra... e por isso estou recebendo mais librianos do que o normal.

Quando Saturno passou pelo meu signo, meu primeiro marido me deixou por outra mulher. Com certeza, isso foi destrutivo e negativo. Divórcio é diferente de morte, pois na morte você se enluta, enquanto no divórcio você continua a sofrer (se não obtiver apoio) e a pessoa que terminou o relacionamento continua "viva", embora tenha morrido para o ex-companheiro. Bem, foi essa a sensação que tive.

Para obtermos outras visões sobre Saturno, eis a posição de alguns autores de livros astrológicos.

Voltando a Felix Lyle, em *The Instant Astrologer*. Eleo intitula Saturno como "O Princípio da Limitação", e diz o seguinte:

> Na Astrologia tradicional, Saturno era considerado praticamente um maléfico... associado a perdas, sofrimentos, atrasos, solidão e morte. É difícil imaginar um repertório mais lúgubre, mas, tendo em vista a mitologia de Saturno, não é indevido, já que ele castrou seu pai, Urano, para ganhar o controle do mundo... Num nível psicológico, a posição de Saturno num mapa revela esses medos e as ansiedades que, por meio de um condicionamento negativo na infância, fazem com que nos sintamos profundamente inadequados.

Hummm. Não parece muito amigável, né?

Vamos conferir o que diz o livro de Erin Sullivan, *Saturn in Transit, Boundaries of Mind, Body and Soul*, página 21:

> O renascimento de Saturno na filosofia ocultista estipulou que Saturno deveria ser tratado com rigor caso quiséssemos lidar adequadamente com as questões sérias da vida.

Olhe essa palavra de novo: Sério!

Não se esqueça de que não podemos separar as imagens dos planetas de nós, como seres humanos. Todos nós existimos no mesmo espaço. A Astrologia procura definir nosso lugar no mundo num nível pessoal e também espiritual. As imagens de Saturno existem em nós como seres humanos. Não seria natural para nós sermos felizes o tempo todo. Nunca sentirmos medo, não nos sentirmos perturbados. Os antigos escreviam sobre a imagem de Saturno em termos muito mais dramáticos, drásticos. Talvez eles achassem que tinham menos controle sobre suas vidas naquela época ou que eram menos capazes de enfrentar inundações, carestias ou doenças.

E hoje, nossa situação seria muito melhor?

Saturno está dentro de todos nós, só que alguns têm mais dele do que outros. Todos nós temos Saturno em nossos mapas; no meu, ele está no signo de Capricórnio, e por isso está em sua casa natural, então consigo sentir empatia por essas imagens assustadoras e compreendê-las, mas prefiro não me deixar impressionar por elas.

E imagine, porque é tudo que podemos fazer, não conseguirmos comprovar isso, e imagine também que Saturno é o regente de Capricórnio, tornando o capricorniano uma pessoa mais próxima da Terra; se o fizermos, vamos entender melhor esse signo.

Capítulo 2

♑ Como montar um mapa astral ♑

Hoje em dia, é muito fácil montar um mapa natal. "Antigamente", você precisava conhecer bem matemática, ser capaz de fazer longos e complexos cálculos com graus e ângulos e ter acesso às tabelas de posições planetárias que chamamos de Efemérides.

Depois, você precisaria descobrir o signo que estava "Ascendendo" ou subindo no horizonte e posicionar tudo num círculo, levando em conta o fato de que as horas de nascimento e os lugares variam pelo mundo... Sem se esquecer de coisas como "Horário de Verão" ou "Horário de Guerra". O advento dos computadores reduziu todos esses cálculos e o trabalho árduo a poucos segundos, não mais a dias.

Não que o fato de se fazer algo mais rápido implique fazê-lo melhor, mas podemos encontrar programas de computador que fazem praticamente tudo, desde que a pessoa que escreva o programa saiba o que está fazendo.

Então, para descobrir mais coisas sobre o capricorniano em sua vida, vamos nos valer do site suíço o www.astro.com.

Obviamente, o fato de ser suíço torna-o mais preciso ainda, e ele também é um site usado por astrólogos, de modo que você estará em boas mãos.

Sistema de Casas Iguais

Abra uma conta e vá à parte do site chamada "Extended Chart Selection" (seleção estendida de mapas). Nessa parte, no meio da página, você vai encontrar uma seção chamada "Options" (opções), e embaixo dela se lê "House System" (sistema de casas); se olhar novamente, você verá que está escrito "default" (padrão).

Clique nessa caixa e mude-a para "Equal".

Cuidado para não entrar correndo no mapa e sair digitando os dados, pois o sistema padrão de casas é chamado de "Placidus" e as casas terão tamanhos diferentes. Isso é confuso demais para um principiante e, na minha opinião, parece muito estranho para fazer sentido.

Em nosso exemplo, vamos usar os dados de J.R.R. Tolkien, autor da fantástica a saga do *Senhor dos Anéis*, nascido em 3 de janeiro de 1892, em Bloemfontein, na África do Sul, às 22h.

Atualmente, na Grã-Bretanha [e no Brasil], a data é grafada na forma dia/mês/ano, mas nos Estados Unidos usa-se mês/dia/ano; por isso, assegure-se de que você está digitando as informações corretamente. No exemplo acima, Tolkien, cujo nome era John Ronald Reuel, e que passaremos a chamar de John para facilitar ainda mais as coisas, nasceu em 3 de ja neiro de 1892.

Eis o seu mapa natal.

♑ Como montar um mapa astral ♑

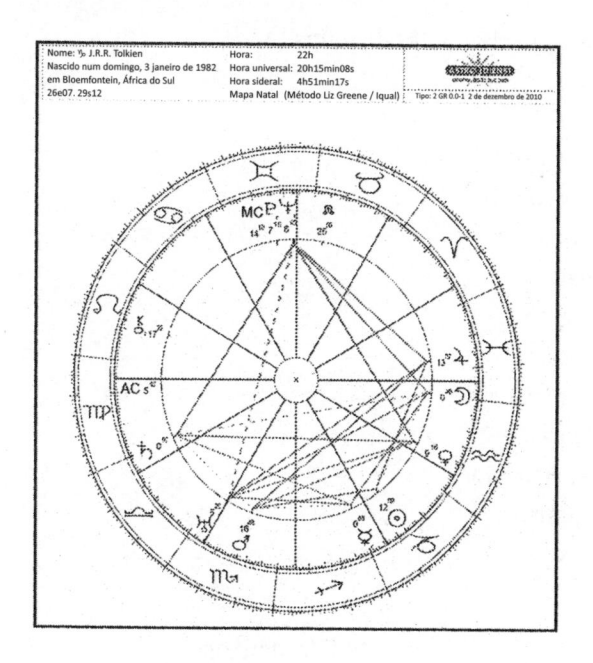

```
Nome: ♑ J.R.R. Tolkien          Hora:              22h
Nascido num domingo, 3 janeiro de 1982    Hora universal: 20h15min08s
em Bloemfontein, África do Sul  Hora sideral: 4h51min17s
26e07. 29s12                    Mapa Natal (Método Liz Greene / Iqual)    Tipo: 2 GR 0.0-1 2 de dezembro de 2010
```

As linhas no centro do mapa são associações matemáticas fáceis ou desafiadoras entre os planetas do mapa, mas você pode ignorá-las também. Só queremos três informações.

O signo do Ascendente, o signo da Lua e a casa em que o Sol está.
Esta é a abreviatura para o Ascendente: ASC
Este é o símbolo do Sol: ☉
Este é o símbolo da Lua: ☽
As casas são numeradas de 1 a 12 no sentido anti-horário.
Eis as formas que representam os signos; procure aquela que representa o seu.

Elas são chamadas de glifos.

Áries ♈
Touro ♉
Gêmeos ♊
Câncer ♋
Leão ♌
Virgem ♍
Libra ♎
Escorpião ♏
Sagitário ♐
Capricórnio ♑
Aquário ♒
Peixes ♓

Os Elementos

Para compreender plenamente o seu capricorniano, você precisa levar em conta o Elemento em que estão seu Ascendente e sua Lua.

Cada signo do Zodíaco está associado a um elemento sob o qual ele opera: Terra, Ar, Fogo e Água. Gosto de imaginar que eles atuam em "velocidades" diferentes.

Os signos de **Terra** são **Touro**, **Virgem** e nosso amigo **Capricórnio**. O elemento Terra é estável, arraigado e lida com questões práticas, trabalhando melhor numa velocidade muito baixa e constante. (Refiro-me a eles no texto como "Terrosos".)

Os signos de **Ar** são **Gêmeos**, **Libra** e **Aquário** (que é o "Aguadeiro", e *não é* um signo de água). O elemento Ar gosta de ideias, conceitos e pensamentos. Opera numa velocidade maior que a Terra, não tão rápida quanto o Fogo, porém mais rápida do que a Água e a Terra. Imagine-o como tendo uma velocidade média.

Os signos de **Fogo** são **Áries**, **Leão** e **Sagitário**. O elemento Fogo gosta de ação e de excitação e pode ser muito impaciente. Sua velocidade é *muito* alta. (Refiro-me a eles como Fogosos, ou seja, do signo de Fogo.)

Os signos de **Água** são **Câncer**, **Escorpião** e **Peixes**. O elemento Água envolve sentimentos, impressões, pressentimentos e intuição. Opera mais rapidamente do que a Terra, mas não tanto quanto o Ar. Uma velocidade entre lenta e média.

Capítulo 3

♑ O ascendente ♑

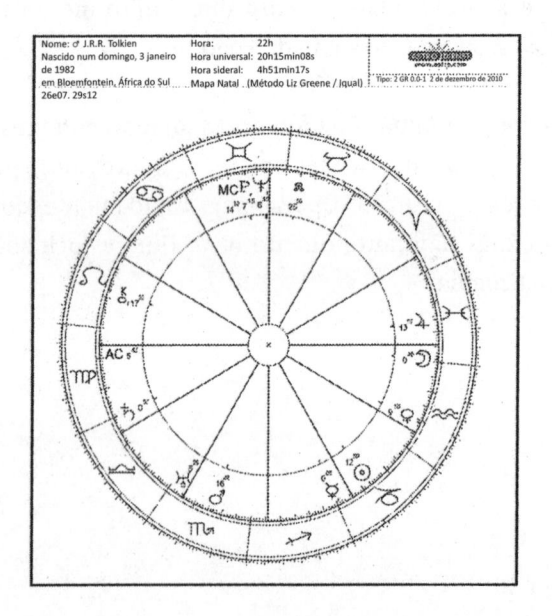

Eis o mapa de John de novo. Dessa vez, tirei todas as linhas de aspectos para facilitar ainda mais a vida.

Você vai perceber que o Ascendente dele está no signo de Virgem, o que faz com que ele lide bem com detalhes; uma pessoa que gosta de categorizar as coisas e de tê-las "no lugar".

♑ O ascendente ♑

Na Astrologia, o Ascendente é uma expressão usada para o momento exato do nascimento, sendo calculado segundo a longitude e a latitude do lugar de nascimento e do horário deste. Se você nasceu no Brasil, terá um Ascendente diferente daquele de alguém que nasceu no mesmo horário em Oslo. É por isso que você precisa ter certeza de que o horário de nascimento de que dispõe é o mais exato possível.

Classificação Rodden*

Uma geminiana nascida em 1928 chamada Lois M. Rodden desenvolveu um método para o registro de horários de nascimento para que os astrólogos profissionais possam ter certeza de que os dados natais que estão usando são os corretos. Ele é chamado de "Classificação Rodden".[14]

Se o horário tiver classificação "A", podemos ter certeza de que a hora de nascimento é confiável. Uma classificação "DD", ou "Dados Duvidosos", significa que há duas fontes conflitantes e que será preciso pesquisar melhor para encontrar o horário correto.

Se você quiser fazer o mapa astral do capricorniano de sua vida, você terá de usar um horário de nascimento correto, pois o signo Ascendente muda a cada duas horas. É que há 24 horas num dia e doze signos solares, e por isso o signo Ascendente vai percorrer todos os signos num período de 24 horas, à razão de um signo a cada duas horas... e ter o Ascendente em Gêmeos é completamente diferente de ter o Ascendente em Câncer, que é o signo seguinte.

---

* Por coincidência, o tradutor deste livro foi, durante vários anos, correspondente de Lois Rodden no Brasil. (N. do T.)

Não fique confuso, basta obter a informação correta e você estará bem.

Se você mora na Grã-Bretanha, o horário de nascimento de seu capricorniano não estará na certidão de nascimento, por isso nem se dê o trabalho de olhar lá.* Você terá de conversar com algum parente para ajudá-lo, pois (de modo geral) a mãe estava muito ocupada dando à luz para registrar o horário. O pai pode ser um bom informante; pergunte a ele.

Se você nasceu na Escócia, pode ter sorte, pois às vezes o horário de nascimento fica registrado; se nasceu nos Estados Unidos, o horário também é registrado.

Às vezes, as pessoas anotam o horário de nascimento naqueles "livros do bebê" ou na Bíblia da família. Encontrei alguns dados de membros da minha família em nossa Bíblia, o que foi bastante útil.

Agora, você tem o horário de nascimento de seu capricorniano. Em nosso exemplo, John, o Ascendente em Virgem fez com que ele se esmerasse nos detalhes, que fosse escrupuloso nos pontos mais refinados da redação, pois Virgem é regido pelo planeta Mercúrio (que governa a escrita), e que fosse "meticuloso" ou, seu sinônimo mais amigável, "preciso".

A seguir, vamos estudar os diversos Ascendentes para o signo solar de Capricórnio. Cada Ascendente vai fazer com que o capricorniano se comporte de um jeito diferente. O Ascendente em signo de Fogo torna a pessoa mais rápida, ágil e acelerada do que um Ascendente em signo de Terra; portanto leve isso em conta quando estiver lendo o Ascendente de seu capricorniano.

---

* No Brasil, na maioria dos casos, o horário de nascimento tem sido registrado pelos hospitais e pelas maternidades desde o século XX. (N. do T.)

É engraçado, mas quando você procura frases de pessoas para demonstrar as configurações de signos, alguns indicadores não falham nunca. Quando eu estava tentando encontrar um exemplo de algo que uma pessoa com Ascendente em Câncer diria, eu já tinha um na minha caixa de entrada, de uma pessoa que conheço:

> "Adoro cozinhar, e adoro cozinhar para os amigos que vêm jantar em minha casa".

É quase a mesma frase que Noel Tyl, um astrólogo norte-americano, usou para falar de culinária:

> "Fazer uma refeição com outras pessoas proporciona uma bela proximidade no final de qualquer dia. Fazê-lo bem gera lembranças".

Como pode ver, as duas citações, a primeira de uma jornalista/mãe/escritora, a segunda de um astrólogo/cozinheiro, expressam os mesmos sentimentos... Eles gostam de cozinhar porque isso reúne a família (e os amigos de quem se sentem mais próximos)... e a energia de Câncer trata exatamente da "proximidade".

Ascendente em Áries

Minha opinião nunca foi humilde.
Se você tem uma opinião, por que ela deve ser humilde?
– Joan Baez, Sol na décima casa

Áries é o primeiro signo do Zodíaco e, como tal, tem uma atitude do "eu" à procura de "si mesmo". Como signo de Fogo e Ascendente forte para um capricorniano, ele vai tornar o nativo destemido, determinado e capaz de reagir rapidamente a problemas ou situações. Do lado negativo, pode proporcionar uma tendência ao autocentrismo, a comportamentos reativos e a querer "forçar a situação".

Ascendente em Touro

A forma que escolhi para mostrar meus sentimentos
se dá por meio de minhas canções.
– Marianne Faithfull, Sol na nona casa

Touro é um signo de Terra, e todas estas palavras – lento, firme, confiável – vêm à mente. Regido pelo sensual planeta Vênus, ele costuma saborear os prazeres terrenos da vida, e não os desafios. Seu capricorniano será muito mais prático e centrado em coisas como dinheiro, um lar seguro e bens que possui. Ele também vai se refestelar com todas as delícias proibidas, como chocolate, sexo e massagens (não necessariamente nessa ordem).

Ascendente em Gêmeos

Escrevi umas mil palavras todos os dias.
– Jack London, Sol na oitava casa

Temos aqui o tagarela signo de Gêmeos, regido pelo travesso Mercúrio, o trapaceiro. É uma combinação que o capricorniano absorve com dificuldade. Por um lado, o Sol em Capricórnio deseja responsabilidades e metas elevadas, enquanto o Ascendente em Gêmeos quer conversar, escrever e se comunicar. Junte os dois e você terá um "comunicador sério".

Ascendente em Câncer

Fazer uma refeição com outras pessoas proporciona uma bela proximidade no final de qualquer dia.
Fazê-lo bem gera lembranças.
– Noel Tyl, Sol na sétima casa

O escorregadio Câncer, regido pela Lua e signo de Água, faz com que o capricorniano consiga ser mais sensível em relação aos outros. Ele terá preocupações mais domésticas, a necessidade de sentir melhor as coisas, o desejo de ter um ambiente aconchegante e relacionamentos duradouros. A culinária também ganha muitos pontos.

Ascendente em Leão

Sou o maior; eu disse isso antes mesmo de saber que o era.
– Muhammad Ali, Sol na sexta casa

Leão é um signo de Fogo e certamente gosta de ser o centro das atenções. Combine isso com a meta capricorniana de chegar ao cume e nada vai impedir essa combinação de buscar o reconhecimento por seu esplendor. O desejo de brilhar pode ser muito forte e conflitar com a necessidade capricorniana de controlar as emoções.

Ascendente em Virgem

A porta do gabinete precisa ser aberta usando-se
quinze Kleenex, no mínimo.
– Howard Hughes, Sol na quarta casa

Outro signo de Terra, o Ascendente em Virgem cria um comportamento repleto de preocupações. Terá a necessidade de colocar coisas em caixas, vai querer que elas sejam organizadas, rotuladas, categorizadas. Sente-se melhor quando sua saúde está boa, sente-se mal quando não está, e piora as coisas preocupando-se com ela.

Ascendente em Libra

Manter o foco é difícil, manter um casamento é mais difícil ainda.
– Crystal Gayle, Sol na terceira casa

Outro signo de Ar, regido pelo amoroso planeta Vênus, este é o Ascendente que aprecia tons pastel, coisas belas, tudo o que é "bonito". É também o signo que governa os relacionamentos, e o parceiro será sempre um elemento de interesse.

Ascendente em Escorpião

O limite da confiança só pode ser tão profundo
quanto o limite de nossas feridas.
– Marcia Starck, Sol na segunda casa

Como segundo signo de Água do Zodíaco, tudo que está relacionado com Escorpião tem má fama. Palavras como *sigiloso*, *intenso* e *ciumento* são apenas algumas. Na verdade, o Ascendente em Escorpião costuma ser muito útil no mundo em que vivemos, pois faz com que o nativo não confie demais e nem fique indo atrás dos outros. Para os capricornianos, isso também significa que eles não vão entregar seu coração ou sua mente... para qualquer um.

Ascendente em Sagitário

O Senhor pode dar, e o Senhor pode tirar.
No ano que vem, posso estar cuidando de ovelhas.
– Elvis Presley, Sol na segunda casa

Esta é uma das combinações mais complicadas. O signo de Fogo Sagitário trata de ideias amplas e expansivas, regido pelo benevolente Júpiter: confiante, filosófico e franco ao extremo. Para um capricorniano, isso o leva a buscar terras estrangeiras, viagens a lugares distantes e uma crença firme em "alguma coisa". Esses dois conceitos, filosofia e responsabilidade, podem fazer com que o capricorniano precise de mais "diversão", tirando-o de sua zona de conforto.

Ascendente em Capricórnio

Uma revolução não é um jantar, nem escrever um ensaio,
nem pintar um quadro ou fazer bordados.
– Mao Tse-Tung, Sol na décima segunda casa

Agora, chegamos ao duplo capricorniano. O Ascendente em Capricórnio fica contente quando está em lugares e posições de grande responsabilidade, feliz por aceitar os golpes da vida e disposto a trabalhar pelas metas futuras. Capaz de tomar "grandes" decisões e de fazer escolhas difíceis.

Ascendente em Aquário

Sou muito bom no pensamento colaborativo.
Trabalho bem com outras pessoas.
– David Bowie, Sol na décima segunda casa

Como último signo de Ar, Aquário torna o nativo versado em todas essas áreas estranhas e maravilhosas da vida que outras pessoas mal chegam a tocar. Nada é extremo demais, a liberdade mental é importante e as amizades são com "A" maiúsculo. Regido pelo amalucado Urano, o signo de Aquário quer liberdade para fazer jogos, não guerras... e quer que você o ajude. Seu entusiasmo contagioso pela vida vai passar para você.

Ascendente em Peixes

Consigo chorar com algo tão simples quanto algumas palavras em um poema ou ouvidas no rádio, num filme ou até lidas num livro.
– Cliente X, Sol na décima segunda casa

O último signo do Zodíaco e regido pelo difuso Netuno, o Ascendente em Peixes dá ao lado mais duro de Capricórnio um exterior brando. A sensibilidade aumenta, bem como a capacidade de absorver todas as tristezas do mundo. Ele se sente mal se testemunha alguma coisa trágica. Vai querer salvar os golfinhos e que todos levem em consideração sua sensibilidade, o que pode ser um problema se o nativo for do sexo masculino.

Capítulo 4

♑ A lua ♑

Se o Sol governa nosso consciente, a Lua governa nosso subconsciente. É assim na "vida real". A Lua reflete a luz do Sol. Logo, na Astrologia, nós entendemos a Lua como sendo nossa parte emocional, sensível. As emoções são essas velhas coisas engraçadas. Costumo me perguntar se os animais as têm. Às vezes, penso que conseguiríamos realizar muito mais se não tivéssemos nenhuma. Se pudéssemos focalizar apenas as nossas metas e não nos deixarmos levar por confusões emocionais incertas, viveríamos mais satisfeitos. Será? Talvez a questão esteja no equilíbrio das coisas. Com emoções demais, você perde todas as energias; com poucas emoções, você se transforma no senhor Spock, de *Jornada nas Estrelas*.

Uso a Técnica de Libertação Emocional (EFT – Emotional Freedom Technique) quando percebo que meus clientes precisam extravasar as emoções. É como soltar um pouco do vapor da panela de pressão emocional da vida. Faço algumas sessões com EFT até que o problema que os atormenta fique menos incômodo, e eles saem mais felizes.

Não estou afirmando que acredito inabalavelmente nisso. As emoções são úteis porque fazem com que o mundo fique mais vivo, mas, do mesmo modo, um excesso de emoções faz com que as coisas fujam seriamente de nosso controle.

Como o signo lunar muda uma vez a cada dois dias, aproximadamente, é importante determinar com precisão o signo lunar de seu capricorniano. Em certos dias, a Lua muda de signo durante esse dia, pois o ritmo da Lua não tem nenhuma relação com nossos relógios. Por isso, alguém que nasceu na manhã de 1º de janeiro de 1980 às 7h* terá a Lua no signo de Gêmeos; se tivesse nascido às 19h, teria a Lua em Câncer. E são dois signos lunares completamente diferentes.

Em nosso exemplo, John tem a Lua no signo de Peixes. Ah, mas que Lua sensível para um homem! O que é interessante é que sua esposa e alma gêmea, Edith, tinha o Sol em Aquário, que não é exatamente compatível com Capricórnio, mas a Lua dela estava em Virgem (que se encaixa muito bem com o Ascendente de John) e Vênus e Marte em Peixes, o que também se encaixou muito bem com a própria Lua de John, também no signo de Peixes. Não sabemos o horário em que Edith nasceu, e por isso não conhecemos seu Ascendente, mas, se você souber, entre em contato comigo. A seguir veremos os signos lunares para um Sol em Capricórnio. Compreender o signo lunar de uma pessoa ajuda-nos a entender como ela reage em uma situação emocional, ou mesmo como ela reage emocionalmente.

As Essências Florais do Dr. Edward Bach

Em 1933, o Dr. Edward Bach, médico homeopata, publicou um pequeno livro chamado *The Twelve Healers and Other Reme-*

---

* A autora se refere a horários ingleses, que ficam geralmente três horas à frente do horário brasileiro. (N. do T.)

dies.* Sua teoria era que se o componente emocional que uma pessoa estava sentindo fosse removido, sua "doença" também iria desaparecer. Costumo concordar com esse tipo de pensamento, pois a maioria das doenças (exceto ser atropelado por um carro) é precedida por um evento desagradável ou por uma perturbação emocional que faz com que o corpo saia de sua sintonia. Remover o problema emocional e proporcionar alguma estabilidade à vida da pessoa, quando ela está passando por um momento difícil, certamente não faz mal algum, e em nenhum casos pode melhorar tanto sua saúde geral que ela volta a se sentir bem.

Conhecer as Essências Florais de Bach pode ajudar a reduzir as preocupações, dando a seu capricorniano mais controle sobre a vida dele (e também a sua, se você estiver nos arredores). Para cada signo, citei as palavras exatas do Dr. Bach.

Para usar as Essências, pegue duas gotas do concentrado, ponha-as num copo com água e beba. Costumo recomendar que sejam colocadas em uma pequena garrafa de água, para que sejam bebericadas ao longo do dia, pelo menos quatro vezes. No caso de crianças pequenas, faça o mesmo.

Lembre-se de procurar um médico e/ou uma orientação profissional, caso os sintomas não desapareçam.

---

* *Os Remédios Florais do Dr. Bach – Incluindo Cura-Te a Ti Mesmo e Os Doze Remédios*, publicado pela Editora Pensamento, São Paulo, 1990.

Lua em Áries

*Como a eletricidade, a Luz está por toda parte,
mas a pessoa deve saber como ativá-la. Eu vim para isso.*
– Mãe Meera

Áries é um signo de Fogo e gosta de ser o primeiro em tudo o que faz; por isso, um capricorniano com esse tipo de Lua ver-se-á num dilema permanente. Por um lado, são pessoas positivas, para cima, focadas e competitivas; por outro, querem atingir aquela fugaz meta futura e se contentam com os bastidores. Na verdade, o que acontece é que eles passam algum tempo sendo uma coisa e ficam confusos com os outros papéis. O equilíbrio é atingido quando eles aprendem a reconhecer suas necessidades, bem como as dos outros.

Essência Floral de Bach *Impatiens*:

Para os que são rápidos de raciocínio e ação e que desejam que tudo seja feito sem hesitação ou demora.

Lua em Touro

Detesto pornografia... Eu nem tenho um pornógrafo!
– Kenny Everett

Como signo de Terra, Touro precisa que seu mundo físico esteja organizado antes que qualquer outra coisa se encaixe no lugar, e, associado ao signo solar de Capricórnio, também de Terra, aumenta a necessidade de um mundo prático e realista. Regido por Vênus, a Deusa do Amor, eles gostam de lidar com coisas *sexies* e táteis. Chocolates são uma boa pedida, assim como roupas aveludadas e macias, e satisfações sensuais.

Essência Floral de Bach *Gentian*:

> "Para os que se desencorajam facilmente. Podem progredir bem no que se refere às doenças ou questões da vida diária, mas qualquer imprevisto ou obstáculo a seu progresso gera dúvidas e logo se deprimem".

Lua em Gêmeos

Paul não tem amigos, e estou ficando maluca."
– Heather Mills

Gêmeos, signo de Ar, é regido pelo engenhoso Mercúrio, deus da comunicação, e por isso a capacidade de tagarelar, circular, fofocar e conversar é muito importante. Seu capricorniano com esta Lua vai adorar histórias, viagens curtas e terá a capacidade de falar sobre como se sente. Se quiser que alguém com Lua em Gêmeos se abra, leve-o para uma viagem curta e ele vai lhe dizer alegremente coisas que talvez se sentisse envergonhado ou incomodado para dizer cara a cara. Talvez o fato de vocês dois estarem olhando na mesma direção, e não um para o outro, permita que esse signo lunar expresse confortavelmente seus sentimentos.

A Essência indicada, neste caso, é recomendada "Para aqueles que sofrem com a incerteza" (como Libra e Gêmeos).

Essência Floral de Bach *Cerato*:

> *"Para os que não têm confiança suficiente em si mesmos para tomar as próprias decisões"*

Lua em Câncer

*A gravidade não é responsável pelo fato de
as pessoas caírem de amores.*
– Isaac Newton

Câncer é um signo de Água, e no círculo do Zodíaco é o signo oposto a Capricórnio, e por isso temos alguém com um interior terno, mas escorregadio. Como um manjar turco, macio e doce até o centro. Ele se preocupa com a família, com os filhos, com a despensa e, regido pela Lua, com a nutrição e o cuidar.

Essência Floral de Bach *Clematis*:

"Alimentam esperanças de tempos melhores, quando seus ideais poderão ser realizados".

Lua em Leão

Eu me apresento de maneira intensa, cuidadosa e confiante.
– Noel Tyl

O fogoso signo lunar de Leão faz com que o severo capricorniano se interesse mais por sua imagem, e, como todas as imagens leoninas, que seja a de um "líder", "confiante" e, regido pelo Sol, querendo "brilhar". Pode ser uma tarefa difícil: ser forte, cuidadoso e confiante sem ser prepotente, audacioso e vulgar. Várias pessoas famosas têm essa característica, e nem todas são de bom gosto. Se o seu capricorniano tem essa Lua, certifique-se de que ele se sinta reconhecido e respeitado, e alguns elogios farão bem a ele.

Essência Floral de Bach *Vervain*:

"Para aqueles que têm ideias e princípios rígidos que consideram certos".

Lua em Virgem

*Esta é a coisa mais engraçada a respeito de representar
certas cenas na tela, ficar sentada do lado de
meus pais e eles me verem beijando outra pessoa.*
– Kate Bosworth

Outro signo de Terra, Virgem é regido pelo inquisitivo Mercúrio. Com a Lua de seu capricorniano posicionada nesse signo, ele vai querer sempre perguntar "Por quê?". Como Virgem também gosta de organizar e catalogar detalhes, ele vai se preocupar e se desgastar menos se conseguir colocar "tudo no lugar". Não deixe nada ao acaso, planeje o máximo que puder e mantenha a saúde em dia... e pare de fumar.

O remédio que prescrevo com mais frequência, pois a Lua, o Sol e o ascendente em Virgem são meus melhores clientes, aparece com o subtítulo "Sensibilidade Excessiva a Influências e Ideias".

Essência Floral de Bach *Centaury*:

"Sua boa natureza os conduz a realizar mais do que a sua parte do trabalho e, ao fazerem isso, negligenciam sua própria missão nesta vida".

Lua em Libra

Sinto-me triste por isso, mas nunca deveríamos ter nos casado.
– Nicolas Cage

Como signo regido por Vênus, Libra trata de coisas como justiça, beleza e relacionamentos pessoais, íntimos. Quando não estão envolvidos num relacionamento, parecem coelhinhos tristes. Para um capricorniano, que sabe conter as emoções muito bem, admitir que ele deseja estar perto de alguém pode ser um pouco difícil. Vai acontecer; só que pode levar algum tempo.

Essência Floral de Bach *Scleranthus*:

"Para aqueles que sofrem muito por serem incapazes de decidir entre duas coisas, inclinando-se ora para uma, ora para outra".

Lua em Escorpião

*Também testei todas as roupas íntimas.
São bem sensuais, mas não sexy-safadas, sexy-glamorosas.
Não são vulgares.*
– Kate Moss

Como Escorpião é um signo muito reservado, tente não forçar nada e resista à tentação de fazer perguntas demais. É uma posição boa para a Lua de um capricorniano, pois os dois signos, Capricórnio e Escorpião, entendem-se bem. Para alguém de fora, eles vão parecer profundos, sombrios e misteriosos, e eles são mesmo, além de terem sensores de raios X para besteiras. Ninguém consegue mentir para alguém com essa combinação, por isso, nem tente. Se conquistar a confiança deles, nunca a perca, caso contrário você nunca será perdoado.

Essência Floral de Bach *Chicory*:

"Estão continuamente afirmando o que consideram errado e o fazem com prazer".

Lua em Sagitário

Defendo aquilo em que acredito. Não sei se isso sempre compensou para mim, pois tenho sido ridicularizado e humilhado.
– Kevin Costner

Se quiser saber a verdade, pergunte a alguém com a Lua em Sagitário. Ele vai lhe dizer também que você está gordo, que tem um resto de comida no seu rosto e que seus pés cheiram mal. Ele não o estará julgando, mas vai dizer a verdade na sua cara. É uma combinação complicada para um capricorniano, que geralmente é mestre na diplomacia. Sagitário é regido pelo animado e benevolente Júpiter, que foi o deus dos deuses e fala das coisas da forma como elas são. Ah, e eles vão usar muito o verbo "acreditar".

Esta Essência é recomendada para quem tem "Sensibilidade excessiva a influências e opiniões". Ler coisas perturbadoras influencia muito essas pessoas.

Essência Floral de Bach *Agrimony*:

"Escondem suas preocupações por trás de seu bom humor e de suas brincadeiras e tentam suportar seu fardo com alegria".

Lua em Capricórnio

O que há de comovente e triste nas coisas é que me afeta.
– Tracey Ullman

Temos aqui o Sol em Capricórnio, signo de Terra, junto à Lua, o que incrementa todas as palavras-chave para os capricornianos – Estoico, Responsável e Sério. Entretanto ele também terá um senso de humor hilariantemente bom. Pode ser sutil, mas é espirituoso. Se esses nativos não caírem no buraco negro da depressão, sua natureza dupla vai lhes assegurar uma postura pragmática e curiosa diante da vida.

Essência Floral de Bach *Mimulus*:

"Para medo de coisas terrenas: doenças, dor, acidentes, pobreza, escuro, solidão, infortúnio. São os medos da vida diária. As pessoas que necessitam deste medicamento são aquelas que, de forma silenciosa e secreta, carregam consigo medos sobre os quais não falam a ninguém".

Lua em Aquário

*Preocupo-me com os problemas, e por isso o foco deve ficar
em mantermos esta bola rolando, pelo bem de nossos filhos e
do ambiente... e quem se importa com o que dizem a meu respeito?*
– Michelle Obama

Aquário, signo de Ar, preocupa-se com o mundo maior e altruísta. Ele quer que todos deem as mãos em harmonia e trabalhem pelo nirvana da cooperação. O fato de ser regido pelo amalucado

Urano, o planeta da individualidade, significa que eles também vão valorizar a liberdade com "L" maiúsculo, por isso não tente prendê-lo. As ideias são importantes, e o Sol em Capricórnio pode proporcionar um bom uso dessas ideias, em vez de permitir que fiquem indo aleatoriamente de um lado para o outro.

Essência Floral de Bach *Water Violet*:

"Para aqueles que gostam de ficar sozinhos, que são independentes, capazes e autoconfiantes. São indiferentes e seguem seu próprio caminho".

Lua em Peixes

Eu usava drogas porque todos usavam drogas.
– Marianne Faithfull

Como último signo do Zodíaco e um dos mais sensíveis signos de Água, a Lua em Peixes, regida por Netuno, pode trazer ilusões e desilusões. Por um lado, o nativo quer estar ligado a tudo que existe de bom no mundo; por outro, pode se dedicar a tudo que o mundo produz de ruim. Uma coisa é certa: ele adora o místico e o psíquico. Num bom dia, vai intuir seus sentimentos e lhe telefonar quando você estiver para baixo; num dia ruim, vai cair no abismo junto com você.

Essência Floral de Bach *Rock Rose*:

"Para casos em que parece não haver qualquer esperança ou quando a pessoa está muito assustada ou aterrorizada".

Capítulo 5

♑ As casas ♑

Bem, se a Lua representa nosso eu interior, e o Sol, o nosso ego ou eu exterior, a localização desse Sol e dos demais planetas no mapa é um conceito interessante. Na Astrologia, as casas representam áreas diferentes da vida. São chamadas casas porque se tornam o "lar" de cada um dos dez planetas que usamos. Antes eram chamadas "mansões", o que soa um tanto pretensioso, e não é uma expressão usada hoje em dia. O lugar no qual o Sol de seu capricorniano está situado no Mapa Astral dele é bem importante, e sem um horário de nascimento preciso é impossível situá-lo. Por isso, se você não sabe a hora de nascimento, por favor, ignore este capítulo.

Quando os primeiros astrólogos decidiram identificar e converter a localização dos planetas em expressões pessoais, surgiu a Hora de Nascimento. Se o Ascendente representa o instante e o lugar de nascimento, nossa respiração, o momento em que entramos no planeta, o Sol estará em algum lugar em nossa pequena terra ou em nosso mapa planetário. Mas onde? No exemplo de John, como seu Ascendente está em Virgem, seu Sol deverá estar ou na quarta ou na quinta casa, se estivermos usando o sistema de Casas Iguais.

No caso de John, seu Sol está na quinta casa, a casa da criatividade e do romance. E, com certeza, ele era um escritor criativo. Foi autor de mais de 35 publicações. Vem-me à mente a palavra *prolífero*. Só o original do *Senhor dos Anéis* tem mais de 470 mil palavras. E isso foi feito antes dos computadores. Bem, as casas são uma coisa antiga e engraçada que costuma confundir muita gente que tenta entender a Astrologia, desanimando-as instantaneamente. O que há numa casa? O que ela significa? Por que as casas seguem a roda do mapa no sentido anti-horário? Se você imaginar que o centro do mapa é a Terra, onde vivemos, o Ascendente é a parte do Universo alinhada com o horizonte oriental, onde o Sol nasce todos os dias. Contudo, se você tivesse nascido mais tarde ou mais cedo, o Sol não estaria no seu Ascendente; estaria em algum lugar do círculo.

A Primeira Casa, Casa da Personalidade

Um erro comum é pensar que uma realidade é a realidade.
Você sempre deve estar preparado para trocar
uma realidade por outra maior.
– Mãe Meera

Ter o Sol capricorniano na primeira casa assegura a confiança pessoal relacionada com o "eu", é uma espécie de sensação de "Sou o centro do mundo". São abertos, destemidos, capazes de suportar a oposição e, de modo geral, têm bastante autoconfiança. "Aceite-me da forma como você me vê" deveria ser o seu lema.

(Ascendente Capricórnio ou Sagitário)

A Segunda Casa, Casa do Dinheiro, de Bens Materiais e da Autoestima

Nunca tivemos dinheiro ou bens, mas nunca passamos fome.
Essa é uma das coisas pelas quais devemos ser gratos.
– Elvis Presley

Esta é a casa que representa as coisas que possuímos. O mundo prático. Será gasta energia no acúmulo de posses ou na segurança financeira. A diversão estará em segurar, tocar, ter a experiência das coisas... Geralmente, experiências táteis como massagens são muito apreciadas.

(Ascendente Sagitário ou Escorpião)

A Terceira Casa, Casa da Comunicação e de Viagens Curtas

As palavras não têm o poder de impressionar a mente sem
o requintado horror de sua realidade.
– Edgar Allan Poe

Como o terceiro signo, Gêmeos, a terceira casa deseja lidar com os outros se comunicando com eles. Eles precisam de um celular, de acesso a cartas, telefones, conversas e todas as formas de comunicação. Poder conversar ou escrever satisfaz esta casa. Como ela também governa as viagens curtas, é bom ter algum meio de transporte.

(Ascendente Escorpião ou Libra)

A Quarta Casa, Casa do Lar, da Família e das Raízes

*Agora entendo o que é mesmo um divórcio,
particularmente quando os filhos são envolvidos.*
– Annie Lennox

É aqui que o lar ganha importância. A "família", em todas as suas diversas combinações, será uma grande prioridade. Cozinhar, aconchegar-se no outro, ter animais domésticos, a proximidade dos entes queridos e o mundo da casa são importantes.
(Ascendente Libra ou Virgem)

A Quinta Casa, Casa da Criatividade e do Romance

*Vigários, parlamentares e advogados estiveram entre aqueles
que me consideravam a melhor anfitriã em Londres.*
– Cynthia Payne*

A quinta casa lida com a capacidade de brilhar. Ser o centro das atenções também é um bônus. Tapetes vermelhos, montes de elogios e reconhecimento mantêm feliz esta combinação.
(Ascendente Virgem ou Leão)

A Sexta Casa, Casa do Trabalho e da Saúde

*Tenho a sensação de que a mensagem das flores nas essências
florais poderia "salvar o mundo"... salvar nossa saúde.*
– Cliente Z

---

* "Madame" ou cafetina famosa. (N. do T.)

A sexta casa tem seu foco em tudo que está relacionado com a saúde. Ela também representa o nosso trabalho. Nela, o Sol em Capricórnio vai querer estar bem, com saúde e organizado. Não é incomum que trabalhe na área da saúde e da cura.

(Ascendente Leão ou Câncer)

A Sétima Casa, Casa dos Relacionamentos e do Casamento

Não estou só quando meu amor está perto de mim.
– Sandy Denny

O Sol em Capricórnio nessa casa vai querer compartilhar sua vida com outra pessoa. Ser solteiro não vai funcionar. Enquanto seus relacionamentos pessoais e íntimos não estiverem organizados, a vida será tristonha. Quando estão se relacionando com alguém, a vida adquire novo sentido.

(Ascendente Câncer ou Gêmeos)

A Oitava Casa, Casa da Força Vital no Nascimento, no Sexo, na Morte e na Vida Após a Morte

Prefiro ser cinza a ser poeira! Prefiro ser um soberbo meteoro,
com cada um de meus átomos brilhando magnificamente,
a ser um planeta sonolento e permanente.
– Jack London

A intensidade da oitava casa com o Sol em Capricórnio produz um indivíduo de caráter forte e que não se desvia da missão de sua vida. O tédio não está em seu programa! A capacidade de focalizar exclusivamente uma coisa de cada vez pode gerar bons resultados.

(Ascendente Gêmeos ou Touro)

A Nona Casa, Casa da Filosofia e de Viagens Longas

> *A voz de Deus, caso queira saber,*
> *é a de Aretha Franklin.*
> – Marianne Faithfull

Se o Sol em Capricórnio na nona casa puder filosofar sobre o verdadeiro sentido da vida, tudo estará bem. Outros países, longas viagens e um interesse por outras culturas serão expressados aqui. Mantenha os passaportes atualizados.

(Ascendente Touro ou Áries)

A Décima Casa, Casa da Identidade Social e da Carreira

> *Você não escolhe como vai morrer ou quando.*
> *Você pode apenas decidir como vai viver.*
> – Joan Baez

Esta é a casa natural de Capricórnio, por isso espera-se que o indivíduo mantenha seu foco na carreira e no modo como acha que os demais o veem. Poder ser reconhecido em seu campo, por mais que isso leve tempo, vai guiá-lo até o sucesso.

(Ascendente Áries ou Peixes)

A Décima Primeira Casa, Casa da Vida Social e da Amizade

"Na escola, você aprende história norte-americana por meio das batalhas, mas aprendi coisas sobre os Estados Unidos e sobre o povo dos Estados Unidos por meio desta música e das canções que canto."

– Odetta Holmes

Com o Sol em Capricórnio na 11ª casa, os indivíduos vão querer – e não *precisar* – ter amigos, participar de grupos, organizações, afiliações, sociedades de que possam ser (e serão) membros. Ele não se vê isolado do mundo, ele faz parte dele. A amizade está no alto da lista, bem como o trabalho beneficente e pela união do planeta.

(Ascendente Peixes ou Aquário)

A Décima Segunda Casa, Casa da Espiritualidade

As pessoas esperam que a Janis Joplin seja uma pessoa durona, e então eu começo a conversar com elas como se fosse uma garotinha solitária – isso não está na imagem deles – e eles não a veem.

– Janis Joplin

Percebi que muitos de meus clientes que têm o Sol na 12ª casa não gostam mesmo de viver no "mundo real". Ele parece doloroso e insensível demais. A 12ª casa, como o signo estelar de Peixes, deseja se misturar com as fadas e os anjos e fugir para a Terra do Nunca. Eles se sentem bem quando têm algum refúgio emocional, seja a praia, uma colina ou um belo banho morno.

(Ascendente Aquário ou Capricórnio)

Capítulo 6

♑ Os problemas ♑

Para poder ajudar plenamente seu capricorniano, é bom entender a definição do tipo de ajuda de que podem precisar. Algo que pode ser um problema agora ou tornar-se um problema depois. As coisas do cotidiano que ouço no meu atendimento profissional variam, mas eis alguns exemplos:

Meu capricorniano não parece estar feliz e é tão soturno que estou enlouquecendo. O que devo FAZER?
Esta deve ser a pergunta que os parceiros de capricornianos mais me fazem. Embora eu possa oferecer alguns conselhos práticos para o capricorniano que sofre (veja Capítulos 7 e 8), costumo focalizar a pessoa que está *recebendo* os efeitos negativos.

Antes de tudo, conheça o tipo do seu signo e faça o possível para que *você* se sinta feliz.

Se o seu signo é de Ar (Aquário, Gêmeos ou Libra), você se distrai com facilidade; por isso deve fazer alguma coisa ou ir a algum lugar que tire sua cabeça daquilo que está acontecendo. Você vai se sentir melhor se tiver alguma companhia agradável; assim, reúna os amigos ou saia e desfrute da companhia de pessoas que melhorem o seu humor. Não se concentre em seu capricorniano rabugento e nem fale dele, pois isso só vai fazer com que você se sinta pior e com menos forças. Mude de assunto.

Se você também é de Terra (Touro ou Virgem), concentre-se em ignorar completamente aquilo que está acontecendo. Não dá para melhorar as coisas e é provável que você as piore, por isso dedique-se a fazer aquilo de que gosta. Envolva-se com atividades físicas, como cuidar do jardim, cozinhar, comer bem, receber uma massagem ou rodear-se de parentes ou amigos com quem você possa desfrutar dessas atividades.

Se o seu signo é de Água (Câncer, Escorpião ou Peixes), você possui capacidade para poder ajudar de fato o pobre capricorniano, pois o seu nível de empatia é maior. Você pode planejar todas essas coisas deliciosas de que o rabugento do capricorniano vai gostar em segredo, como massagens, terapias alternativas, culinária, e oferecer-lhe sua compreensão. Porém, como signo de Água, você também corre o risco de se tornar *parte* do problema, e por isso será bom manter certo distanciamento emocional.

Se o seu signo é de Fogo (Áries, Leão ou Sagitário), seu nível de paciência será um tanto baixo, e você não conseguirá bons resultados tentando animar o capricorniano. Você pode oferecer alguma assistência convidando o seu lúgubre capricorniano para participar de algum esporte competitivo com você. Contudo ele pode estar melancólico demais para chegar a pensar nessa hipótese, por isso saia e faça alguma atividade física, despejando seus sentimentos na quadra de tênis, no campo de futebol, no rúgbi ou em coisas semelhantes.

Meu capricorniano está tão concentrado em sua carreira que me sinto de lado

A carreira é muito importante para o capricorniano, uma vez que ele tenha resolvido todas as questões práticas envolvendo dinheiro, construção da casa e planejamento de filhos. Ele também tem a capacidade de separar o trabalho da vida doméstica. Mais uma vez, pense no seu Elemento (Terra, Ar, Fogo e Água) e em suas necessidades. Michelle Obama é capricorniana e apoiou o marido Barack em sua trajetória até a presidência dos Estados Unidos. Eles iniciaram juntos as suas carreiras, pois ambos eram advogados. Não a vejo reclamando do equilíbrio entre trabalho e vida privada dele, pois os benefícios são consideráveis para ela. Se o seu capricorniano for muito ambicioso e você não, não adianta se queixar. A separação pode ser a melhor alternativa para vocês. Você tem opções.

Meu capricorniano fica tão envolvido com sua família que me sinto de fora

Este problema é um pouco diferente do anterior, mas costumo ouvir tal queixa em meu consultório. Você está realmente de fora? Ou decidiu ficar de fora? Você sente dificuldade para compartilhar alguma coisa? Você se considera possessivo? A família de um capricorniano é sua razão para existir, algo que ele deve ter deixado claro desde o início. Tenho certeza de que, com alguma prática, você também poderá se envolver com a família dele.

Meu capricorniano não é suficientemente excitante para mim

Costumo ouvir isso quando estou diante de um signo de Fogo ou de clientes com planetas em signos de Fogo. Aquilo que você classifica como excitante pode ser exaustivo para um capricorniano. Manifestações emocionais longas e dramáticas estão fora do terreno de Capricórnio. Suas reações são planejadas e sensatas. Eles não são desprovidos de emoção, mas não perdem energia preciosa com emoções aparentemente desnecessárias. Lembra-se dos estoicos do Capítulo 1? Ser excessivamente emotivo pode impedir seu sucesso. Existe hora e lugar para tudo. Você sabia que seu capricorniano pode ser excitante? Conheço um capricorniano que pratica canoagem, montanhismo e atividades físicas que deixariam você sem fôlego. Ele não fica, porém, ouvindo seus amigos ao celular chorando por alguma coisa que foi dita enquanto espera o ônibus. Por favor, nunca acuse o capricorniano de ser entediante; gaste sua energia vendo e vivenciando seu lado excitante, mesmo que seja modesto.

Meu capricorniano parece gostar apenas de pessoas mais velhas do que ele

Para dizer a verdade, isso é óbvio. Os capricornianos respeitam o conhecimento e a sabedoria que vêm com a idade. Não é uma boa característica? Tratar os mais velhos como seres sábios? Por que a velhice precisa significar senilidade? Se você é de Gêmeos – o Peter Pan do Zodíaco, a criança que nunca cresce –, vai achar isso difícil. Não permita que isso estrague sua opinião sobre os capricornianos. A velhice pode e deve trazer a sabedoria, e você vai ver que, à medida que seu capricorniano envelhecer, ficará mais juvenil e provavelmente vai gostar de companhia mais jovem.

Meu capricorniano não conversa comigo... o suficiente
Isso era um problema para uma cliente sagitariana:

> *"Eu preciso mesmo de ajuda para fazer com que meu namorado capricorniano seja um pouco mais comunicativo. Ele é muito divertido quando estou com ele, mas ele pode passar dias e dias sem me mandar um torpedo ou telefonar. Estou tentando ir devagar (conforme você sugeriu), mas, depois de seis meses de namoro, eu esperava que ele se abrisse um pouco e melhorasse no aspecto da comunicação. Você tem alguma sugestão para que eu consiga lidar melhor com isso? Falei superficialmente sobre o problema, sem pressões, e ele admitiu que outras namoradas e até parentes já haviam dito isso a respeito dele, mas depois ele comentou que achava que nunca iria mudar. Você acha que ele está apenas sendo sincero ou isso significa que nem quer se esforçar?"*

Mais tarde, eles se afastaram, pois a Senhorita Sagitário não gostou do verdadeiro espírito capricorniano. Não foi culpa de ninguém. Às vezes, precisamos de uma experiência negativa para apreciar aquilo que realmente desejamos, e neste exemplo a Senhorita Sagitário ficaria bem melhor ao lado de um signo de Ar, talvez até um geminiano, que pode ser bem tagarela.

A razão pela qual o Senhor Capricórnio não telefonou todos os dias? Para ele, não havia nada a dizer. O capricorniano não costuma narrar diariamente o que ele faz. E ele foi absolutamente honesto quando disse que nunca iria mudar. Ocorreu-me a ideia de leopardos mudando suas manchas. Agora, a

Senhorita Sagitário sabe que o parceiro que está procurando é alguém que conversa diariamente com ela, ou até três ou quatro vezes por dia. Até uma pessoa que não acredite na Astrologia ou não a entenda terá dificuldade para se relacionar quando estiver namorando ou casada com alguém que não tenha a mesma filosofia astrológica de vida, ou pelo menos uma que seja compatível.

Capítulo 7

♑ As soluções ♑

Agora que você aprendeu um pouco sobre os capricornianos, vamos falar da parte mais importante deste livro, *Como Animar um Capricorniano*.

Simples.

Não faça nada!

"O quê?", ouvi você berrar. "Ele está um caco há seis meses, escuta a mesma música há semanas, resmunga todas as vezes que converso com ele. Como você pode chegar a este ponto e me dizer que ele *não precisa* de animação... o que você quer DIZER?"

É simples; os capricornianos são pessoas sérias.

E gente séria leva as coisas a sério. E levar as coisas a sério significa que não há fachadas, uma atitude do tipo "Aceite-me da forma como você me vê". E ser sério significa ser autêntico. Não fingir, não falsear, nada artificial, nada imaginário – tudo real.

Se o compararmos com Peixes, que vive com as fadas, criando um mundo imaginário, doce e gentil, mas que não consegue pagar as contas ou se lembrar de onde deixou a toalha do chá; ou com Aquário, que vive em sua cabeça, criando ideias para unificar o mundo e para que todos sejam amigos, veremos que *alguém* precisa viver no mundo real, pagar as contas, tricotar coletes e ceroulas de lã para os pobres, precisa manter o foco em soluções práticas, reais. É isso, pode ser difícil para outros signos compreender esse nível de realidade. Por isso, o que estou dizendo é o seguinte: descubra o lugar no qual você se sente feliz e se diverte; e talvez, quem sabe, seu capricorniano veja você se divertindo e queira participar!

Será que um Dia Eu Serei Feliz?

"EU DETESTO ser capricorniana; a vida está cheia de lições estúpidas. Ouvi dizer que nascer sob este signo maldito significa que temos de aprender algumas lições. Bem, eu nunca quis.

Detesto minha sina e culpo meus pais por terem me trazido a este mundo sob o sol de Capricórnio.

Infelizmente não sou só eu; os capricornianos (especialmente as mulheres – Elin Woods, Sienna Miller e muitas outras) não são felizes. As pessoas dizem que os capricornianos têm tendência à depressão, mas por quê? É por causa de nosso signo malfadado, que nos dá uma p*** carga de coisas deprimentes na vida.

Não sei se chegarei a ser feliz. Sei que a felicidade depende daquilo que você faz na vida, mas o que você faz quando há lições para se aprender a cada passo que você dá? Você se cansa.

Amigos? Não tenho NENHUM. Sim, é verdade, pode parecer exagero, mas acredite em mim quando digo isso.

Aqueles que eu pensava que eram meus "AMIGOS" me traíram, de um modo ou de outro. Por exemplo, fui perdidamente apaixonada por um escorpiano durante anos. Quando ele me convidou para sair, eu fiquei tão alucinada e assustada que estraguei tudo, mas as coisas não ficaram tão ruins, pois éramos amigos. O que aconteceu?

Aquela que eu achava que era a minha 'melhor' amiga o convenceu a desmanchar comigo e ele achou que, como ela era a minha melhor amiga, isso era o melhor para mim.

Mas isso não é tudo, agora estou casada com um capricorniano. Ele não trabalha, e perde o emprego poucos meses depois que começa; e o mais triste é que eu me sinto segura quando ele não trabalha, pois ele sempre diz que vai me deixar porque não está feliz comigo.

Estou na faculdade, com uma bolsa. Tive a chance de entrar numa faculdade da Ivy League,* mas outro capricorniano me convenceu a não ir para lá. Agora estou na XXX, pensando que iria economizar, mas não foi bem o caso.

Quanto à minha família, sinto-me mal por meus pais; agora eles são idosos e ainda nos sustentam, incluindo meu marido, que nem sempre é grato por isso.

E adivinhe só? OS DOIS são de Capricórnio. Minha mãe é de 30 de dezembro, eu sou de 31 de dezembro e meu pai é de 1º de janeiro. Isso é destino ou não é? Chega a assustar.

Somos uma comunidade muito conservadora, e por isso, quando me casei com um italiano, todos ficaram chocados, então um divórcio seria ainda pior para a minha família. Portanto estou absorvendo o que quer que meu marido faça comigo e com a minha família (embora não seja tão frequente).

Outra coisa é o respeito. Creio que não tivemos muito dele, o que me incomoda bastante; nós nos sentimos como se fôssemos uma família isolada."

---

* Grupo de oito faculdades da Costa Leste dos Estados Unidos, de renome acadêmico e elitistas. O nome *Ivy League* remete à hera que sobe pelas antigas paredes e muros dessas universidades. (N. do T.)

Temos aqui uma capricorniana completamente insatisfeita. Ela quer ter uma família, alguns amigos, um bom casamento e pais felizes. Porém ela não tem nada disso, e essa carência invadiu sua autoestima.

No exemplo acima, nossa capricorniana quer respeito, mas sabe que não vai consegui-lo enquanto seu casamento não for mais estável e seu marido não encontrar um emprego. No entanto ela também se preocupa com a hipótese de ele *ter* um emprego, porque nesse caso há a possibilidade de ele largá-la, já que *ele* não está satisfeito; é um dilema horrível. Ela está tentando melhorar de vida estudando, mas, como não está onde queria – que era na *Ivy League* –, ela ficou ainda mais desanimada.

As instituições da Ivy League *costumam ser vistas pelo público como algumas das mais prestigiosas escolas do mundo e geralmente são consideradas as melhores universidades dos Estados Unidos e do mundo.*

(Extraído da página em inglês da Wikipédia sobre a *Ivy League*)

Bem, ela está estudando numa faculdade mais barata, mas isso não está lhe proporcionando o que ela queria – que é respeito. Assim, duas coisas a estão incomodando muito o fato de estar triste e não estar sendo respeitada, e ela não vai conseguir respeito enquanto sua vida não estiver mais organizada e estável.

Para que um capricorniano fique "feliz" e animado, ele PRECISA de uma unidade familiar estável. Não importa como essa unidade se manifeste. Pode ser mamãe e papai num barraco com arroz para o jantar, mas, por causa do "apoio" da "unidade familiar", tudo vai dar certo.

♑ As soluções ♑

Afaste um capricorniano dessa unidade familiar, remova seus pais, seus filhos e seu cônjuge, e você terá um terreno realmente instável.

Isso é completamente diferente do que acontece com nossos amigos aquarianos, que não se preocupam nem um pouco com "a família", pois para eles a família é universal e infindável. Para um capricorniano, a família é sua vida.

Os capricornianos que atendo em meu consultório desejam saber se existe o perigo de um divórcio, se os seus pais vão morrer "antes da hora", se os seus filhos não estão se ajustando à visão que eles têm de "vida correta" ou se vão perder o emprego ou sua posição. Dou-lhes conselhos e conversamos sobre o modo de preencher as lacunas.

Bem, seria completamente diferente se o seu capricorniano dissesse que está se sentindo triste, ou lhe pedisse para animá-lo, ou desse indicações claras de que precisa de ajuda... e se for esse o caso, por favor, veja a seguir como pode ajudá-lo.

Porém – e reforço que é um GRANDE PORÉM – nem todo capricorniano precisa ser animado.

Vou explicar.

O humor difere de pessoa para pessoa. Aquilo que para você é extremamente engraçado, seu amigo/namorado/pai/irmão pode achar completamente sem graça. O mesmo se dá com a disposição geral. Será que não é VOCÊ que está precisando de animação? Talvez VOCÊ precise de alguma coisa leve e graciosa em sua vida.

Especialmente se o seu signo for de Ar.

Vou lhe dar um exemplo. Minha mãe é de Aquário (escrevi um pouco a respeito dela em *Como se Relacionar com um Aquariano*). Minha irmã mais nova é capricorniana, e elas moram juntas há mais de quarenta anos. Minha irmã tem síndrome de Down (o que não tem nada a ver com o que vou contar).

De vez em quando, minha mãe reclama do fato de minha irmã parecer amuada, e preciso explicar-lhe que ela está perfeitamente bem e feliz. Ela não vai correr pela casa dançando alegremente, e nem vai ficar cantando as mais recentes músicas que tocam no rádio. Ela não fica cantarolando uma melodia (como minha mãe), nem vai ficar tagarelando com todo mundo no telefone, e com certeza não vai ficar pensando em "coisas interessantes para fazer", isso é território aquariano. Não, minha irmãzinha vai escrever cartas para sua família (um aspecto importante de sua vida) e para artistas da TV, vai assistir ao *Dr. Who* na televisão, ler as revistas da RSPB* (ela adora aves), aguardar o próximo evento da família ou até comer, dormir, tomar banho e se vestir.

Ocupações sensatas e práticas.

Para um aquariano, chegar a ter de *pensar* em comer, dormir, tomar banho e se vestir seria suficiente para levá-los à beira do abismo. Na verdade, qualquer coisa relativa ao mundo físico e toda a sua bagunça, sujeira, emoções, água e sabão, digestão... Não, não, não!

Portanto, se você é aquariano, leia e compreenda o seguinte: seu capricorniano NÃO está infeliz. Ele não precisa que você o anime com coisas alegres, fofas e frívolas.

Ele pode estar triste, ou ansioso, ou quieto, ou pensativo, ou "pensando em como pegar o balão que Leitão deu a Bisonho" e que estava no "Pote Útil" que Pooh lhe deu em seu aniversário.

---

* Royal Society for the Protection of Birds (Sociedade Real para Proteção das Aves).

A vida é *mais lenta* se você é capricorniano, muito mais lenta do que para os signos de Fogo. Isso não quer dizer que o capricorniano não pode ser mais veloz, o que acontece se tiver um pouco de Fogo no mapa. Incluí neste livro diversos exemplos de pessoas com planetas em signos de Fogo em seus mapas, mas, de modo geral, o capricorniano deseja aproveitar e saborear o momento no seu ritmo.

Assim, o que você pode fazer se o seu capricorniano admitiu que está infeliz e lhe *pediu* para ajudá-lo a se sentir menos "para baixo"? Se ele *pediu* para ser "animado"?

Antes de tudo, você precisa saber qual é o tipo mais adequado de animação, dependendo das características do mapa natal dele. A seguir, você poderá ver uma lista sensata e viável de sugestões para ajudar o seu capricorniano.

Dividi essas sugestões com base no Ascendente e na Lua.

Ascendente ou Lua em Áries

Leve o seu capricorniano para caminhar – quanto mais longe, melhor. Botas especiais, calçados à prova d'água, sapatos adequados, um pouco de comida para o passeio (se você for taurino), um pouco de dinheiro e nada mais. Você não vai precisar de celular, iPod, mapa ou bússola. Só um pouco de ar livre e de vento. Se o seu capricorniano tiver gosto por atividades físicas, vocês podem fazer alguma coisa mais vigorosa e/ou esportiva. Ele não vai querer conversar, portanto nem tente; focalize apenas a experiência física.

Ascendente ou Lua em Touro

Para ajudar uma pessoa com dupla Terra, a melhor abordagem é a sensata, prática, realista. Como Touro gosta de comida e do luxo sensual, uma terapia com bolo de chocolate s é uma boa opção. Ele gosta de manter as finanças organizadas; por isso, pegue a calculadora e ajude-o nas contas. Se você souber fazer massagens, será de grande ajuda. Se não, marque uma sessão com um bom terapeuta local para seu capricorniano. Mais uma vez, mantenha a conversa no nível mínimo necessário.

Ascendente ou Lua em Gêmeos

A pessoa com essa combinação de signos precisa conversar. Ela deve gostar de viagens, por isso, subam no carro e sigam para qualquer lugar; no caminho, seu capricorniano com Lua ou ascendente em Gêmeos vai se abrir. Não tente oferecer soluções demais, pois isso só vai deixá-lo mais confuso; recomende um bom material de leitura que seu capricorniano instável possa aproveitar e escute, escute e escute, pois esse capricorniano vai querer falar sobre como está se sentindo.

Ascendente ou Lua em Câncer

Neste caso, você vai precisar de baldes de simpatia. Câncer é um signo de Água, e essa pessoa precisa muito de COMPREENSÃO. Não dá para ficar dizendo "sei, sei", fingindo interesse. A menos que você tenha passado pelo que Câncer passou, você está fora do jogo. A melhor estratégia é esquentar a chaleira, respirar fundo, desligar o celular, parecer calmo e simpático, reclinar-se no espaço de Câncer/Capricórnio, imitar sua

linguagem corporal e preparar os lenços. Os cancerianos/
capricornianos precisam chorar, e geralmente se sentem bem
melhor depois disso.

Ascendente ou Lua em Leão

Segundo signo de Fogo do Zodíaco, Leão/Capricórnio precisa de
uma plateia, e vai querer representar dramaticamente seus sentimentos. Ignore isso por sua conta e risco. A única razão pela
qual exageram é que temem a rejeição, por isso estenda o tapete
vermelho metafórico e deixe que seja o rei/a rainha por um dia.
É pouco provável que ele lhe diga que está triste mesmo, mas
em meio a esse drama existe uma criancinha triste e solitária.

Ascendente ou Lua em Virgem

Fiquei tentada a dizer para chamar o médico, pois Virgem/
Capricórnio se preocupa muito com a saúde. Quando se aborrece, porém, o virginiano/capricorniano preocupa-se muito,
até você ter vontade de gritar "ACALME-SE!"... o que, obviamente, não é uma solução sensata. É melhor aconselhar que ele dê
pequenos passos para sua recuperação, como reduzir o consumo de açúcar, parar de fumar, comer alimentos saudáveis e evitar a negatividade. A meditação faz maravilhas.

Ascendente ou Lua em Libra

Você vai precisar novamente dos lenços. Vai precisar também
de um ambiente calmo e tranquilo, agradável. Libra/Capricórnio é muito sensível ao ambiente, e como Libra é "regido" por

Vênus, ele responde melhor à beleza. Pode precisar de um questionamento suave; ter chá à mão é bom, mas melhor ainda seria um grande buquê de rosas ou uma suave massagem com aromaterapia. As coisas precisam ser equilibradas e justas para Libra/Capricórnio. Todos precisam ter uma parcela daquilo que está acontecendo. Diga-lhe que se ele quiser levar em consideração o ponto de vista de todas as outras pessoas, isso vai cansá-lo ainda mais; por isso, seria melhor encontrar apenas uma estratégia para "prosseguir".

Ascendente ou Lua em Escorpião

Esta é uma combinação de signos para a qual você vai precisar de força e foco. Não adianta ir de mansinho. Soluções intensas e dramáticas funcionam melhor, e costumo recomendar coisas como escrever cartas e queimá-las depois, ou outras atividades inofensivas, no lugar de brigas ou querelas jurídicas.

> *"Não extraio prazer algum dos estimulantes aos quais me entrego tão loucamente de tempos em tempos. Não é em nome do prazer que tenho arriscado minha vida, minha reputação ou razão. É a desesperada tentativa de escapar de lembranças torturantes, de uma sensação insuportável de solidão e do temor de alguma estranha fatalidade próxima."*
> Edgar Allan Poe, citado em Meyers, '89

Provavelmente, seu Escorpião/Capricórnio vai se entregar a uma fuga alucinante movida a álcool ou arriscar sua vida com drogas; mas se você proporcionar um espaço seguro e reconfortante, mais cedo ou mais tarde, ele vai voltar ao normal. Dê-lhe duas semanas.

Ascendente ou Lua em Sagitário

Não dê conselhos a um Sagitário/Capricórnio, você só vai conseguir fazer ele se sentir pior. Ele tem todas as respostas, mas elas estão escondidas em algum lugar, sob um monte de papelada. Ele sabe exatamente o que há de errado com ele, ele não está infeliz, está apenas lutando contra a indigestão/azia/dor de cabeça. A melhor solução é fazer uma bela viagem para o exterior. Quanto mais distante, melhor. Se ele não quiser fazer isso, você pode pegar umas fotos das férias passadas e passar algum tempo vendo-as com ele.

Ascendente ou Lua em Capricórnio

De novo, não lhe recomendo dar conselhos. Isso só vai levar a conflitos. Em vez disso, passe algum tempo falando de ancestrais distantes. Falar de avós e bisavós, lembrar-se deles, recordar parentes antigos vai ajudá-lo a colocar as coisas em perspectiva. Se você gosta de história de família, eis sua chance de brilhar. Discutir como as coisas costumavam ser e viver o futuro relembrando o passado é a melhor tática. Visitar museus, aprender sobre culturas antigas e homenagear velhas tradições populares vai ajudar imensamente seu duplo capricorniano.

Ascendente ou Lua em Aquário

É aqui que pensamentos e ideias entram em cena. Quanto mais fora do comum, melhor. Algo que combine amizade e prioridades. Como sugestão, ele pode se filiar a um grupo humanista ou fazer campanha por direitos humanos. Faça com que seu capricorniano/aquariano escreva algumas cartas com queixas para publicações de respeito. Ou que escreva um poema, cante uma música, faça algo criativo, artístico ou simplesmente tolo; alguma coisa, qualquer coisa que seja, para levá-lo a pensar na "unidade", seu assunto preferido.

Ascendente ou Lua em Peixes

> *"Sabe... deve haver um propósito... deve haver uma razão... por que eu fui escolhido para ser Elvis Presley... Eu juro por Deus, ninguém sabe como eu sou solitário. E como me sinto vazio."*[15]

Esta é a combinação astrológica da sensibilidade. Por favor, seja gentil com eles. Imagine que são seres com asas frágeis, anjos disfarçados, seres de outro planeta, e você terá uma ideia de como ajudá-los melhor. Eles não vão ouvir o que você lhes disser, mas vão sentir, e você pode achar que não absorveram nada. Mas absorveram, sim. É que leva algum tempo para que suas palavras sejam filtradas em meio a todas as coisas que estão na cabeça deles. Acenda uma vela, queime incenso, ponha o Tarô dos Anjos ou use qualquer outra forma de adivinhação para ajudá-lo. Se ele não for do tipo esotérico, a boa e velha religião funciona bem... e orações.

Capítulo 8

♑ Táticas para animar ♑

Como este é um livreto prático, agora vou falar dos diversos tipos de capricorniano que você pode encontrar na vida real, desde seus filhos até seus pais. Vamos discutir e compreender os diferentes cenários nos quais podemos encontrar os capricornianos e os vários tipos de pessoa que você pode conhecer na vida real.

Seu Filho Capricorniano

Se você tem um filho de Capricórnio, sua vida familiar não será complicada pela rebeldia ou por desobediências. Naturalmente, isso vai depender do seu signo e do signo de seu parceiro. Se você proporcionar um ambiente seguro, com regras sensatas e muita interação familiar, não vai errar.

Com certeza, a criança capricorniana vai gostar de ser tratada como adulto desde cedo. Dê-lhe pequenas responsabilidades, como tirar o lixo, dar comida aos animais de estimação ou tomar banho em troca de dinheiro vivo, pois isso vai fazer com que aprenda que atividades regidas por Saturno trazem benefícios – neste caso, financeiro.

Fique ciente de que essas responsabilidades não devem fazer com que seu filho capricorniano se torne o progenitor, e você o filho. É muito fácil os papéis se inverterem, e já vi isso acontecer. Isso faz com que o filho capricorniano não aproveite a infância e cresça com ansiedade.

De modo geral, seu filho capricorniano vai desfrutar da interação com os avós. Veja o que diz Suzie, que teve graves problemas com os pais e foi salva emocionalmente pelos avós:

"Meus avós não me tratavam como a maioria dos adultos. Eu sentia que não tinha de me retrair perto deles. Eles entendiam o fato de eu estar crescendo depressa e me tratavam como adulta, enquanto as outras pessoas de minha família (especialmente meu pai e a família dele) me tratavam como criança. Creio que, no frigir dos ovos, meus avós e eu temos visões semelhantes, e me sinto à vontade com eles! Eles sempre me deram conselhos sem qualquer censura, aceitam-me como sou e deixam-me ser eu mesma".

Seu filho de Capricórnio também vai desfrutar da ideia de contribuir para a administração eficiente da casa e será um membro valorizado da família. Dizer a um filho de Capricórnio que ele "não tem idade" para fazer ou ser alguma coisa é um insulto à sua inteligência e capacidade. Melhor dar-lhe um pouco de responsabilidade desde cedo do que forçá-lo a assumi-la quando ele crescer e sair de casa.

Seu Chefe Capricorniano

Presumindo, naturalmente, que você sabe a data de nascimento de seu chefe, você pode facilitar muito a sua vida profissional aplicando os princípios básicos de Capricórnio: seja sensato, responsável e apresente resultados.

Se você for descuidado, por pouco que seja, seu chefe capricorniano vai deixá-lo de lado quando pensar em promoções. Se quiser ter sucesso com um chefe capricorniano, descubra as coisas que ele admira e reproduza-as.

Você também vai ganhar pontos se conseguir se lembrar do aniversário da esposa/do marido ou do casamento de seu (sua) chefe.

Lembre-se também de que seu chefe capricorniano não vai ficar grudado em você. Ele não está preocupado em controlar seus movimentos, mas vai aguardar os resultados que você prometeu. Sua palavra é seu juramento. Procure manter toda e qualquer discussão de trabalho dentro de um nível prático e concreto. Evite a tentação (se você for de Ar) de entrar em discussões ou de se desentender por causa de ideias. Esse não é o modo capricorniano de fazer as coisas. Ele vai esperar que você se esforce bastante, mas, do mesmo modo, vai recompensá-lo por isso.

Seu Namorado Capricorniano

Um relacionamento bem-sucedido com seu namorado capricorniano depende inteiramente de seu signo solar e/ou lunar.

Há certas combinações de signos que funcionam realmente bem, e Capricórnio/Escorpião é uma delas. Os dois signos são dotados de um significativo grau de autocontrole, algo que os dois signos respeitam.

As coisas ficam difíceis quando Capricórnio namora um signo de Ar:

"O pior de tudo é que parece que sou atraído por elas. Namorei várias aquarianas e o relacionamento nunca acabou bem. Sou capricorniano típico em todos os sentidos, e, por algum motivo, as aquarianas parecem atraentes no começo. São cheias de vida, luz e aventura. Depois, sua verdadeira personalidade aparece. São distantes, frias, controladoras e inseguras. Parece que não conseguem aceitar o fato de que nem todos pensam e agem como elas.

Minha última namorada começou o relacionamento falando de seu ideal. Que era dedicada ao namorado, nunca tomava uma decisão séria sem consultá-lo antes, adorava passar o tempo comigo. Depois, ela começou a se distanciar e ficou simplesmente má. Certa vez, ela disse que eu nunca sorria. Expliquei-lhe calmamente que eu sorria. Eu não estava sorrindo naquele momento porque não tinha motivo para sorrir, especialmente pelo fato de ela estar reclamando porque eu não estava sorrindo. Ela era tão insegura que não se conformava com o fato de não estar com a razão.

Certa vez, ela disse uma coisa que não era só mentirosa, como era tão equivocada que ficou até engraçada. Quando comentei isso, ela ficou muito zangada e insistiu em dizer que aquilo que tinha dito, embora fosse fisicamente impossível, estava correto. Eu estava me divertindo e deixei por isso mesmo. Não era nada de mais. É claro que ela continuou com o assunto. Finalmente, fiquei tão irritado com ela e com o fato de ela ter estragado o momento agradável que estávamos tendo que eu provei que ela estava errada.

Sua única reação foi dizer 'Bem, eu não estava tão errada assim'.

Eu quase a deixei ali na mesma hora. Por que essas pessoas têm necessidade de controlar tudo, mesmo sem saber o que está acontecendo na maior parte do tempo? É verdade que ela tinha algumas virtudes, mas minhas experiências com outras aquarianas foram muito similares. Eu queria que houvesse um jeito de lhes dizer isso antes que elas se tornassem íntimas."

Temos aqui o clássico dilema do signo de Ar/signo de Terra. O homem de Capricórnio estava sendo corrigido pela mulher de Aquário. Obviamente, ela tem muitas ideias valiosas. (Veja meu livro *Como se Relacionar com um Aquariano*.) O Senhor Capricórnio não se interessa por ideias, a menos, evidentemente, que elas façam uma diferença prática em sua vida.

Eles se afastaram por causa de uma ideia que poderia crucificar uma aquariana e irritar um capricorniano.

Ele queria "vida, luz e aventura" e acabou gerando uma discussão porque a namorada não conseguia entender que aquilo que tinha dito era praticamente impossível.

Se fosse outro aquariano, nem *ligaria* para o lado físico, porque ele vive no mundo das ideias. O Senhor Capricórnio mora no mundo físico. Esse foi o problema.

Não é possível engolir uma ideia. Não se pode caminhar sobre uma ideia. Não dá para dar uma volta no quarteirão numa ideia, não se nada com ela, ela não pode ser guardada no bolso; ninguém se senta numa ideia e nem leva a ideia para tomar chá. Não se faz amor com uma ideia e nem se veste a ideia com belas roupas, nem se admira a ideia ou a exibe para os amigos.

Seu namorado capricorniano vai querer mergulhar no mundo físico; portanto assegure-se de que você gosta mesmo de conviver com essas coisas físicas e de lidar com elas antes de tentar manter um relacionamento com ele.

Eles vinham de dois planetas diferentes. Capricórnio é regido por Saturno, o planeta que leva mais de 28 anos para completar sua órbita e o faz de maneira firme.

Aquário é regido por Urano, o planeta amalucado que foi descoberto em Bath, onde moro. Sua órbita é irregular e ele leva aproximadamente 84 anos para percorrer o Zodíaco. Por isso, seus regentes astrológicos eram completamente diferentes, e o único modo para ambos se unirem seria fazer com que cada um deles imaginasse que eles eram "firmemente irregulares" ou "irregularmente firmes".

Sua Namorada Capricorniana

Para que você possa entender e apreciar sua namorada capricorniana, eu vou incluir um exemplo da vida real.

Giselle é administradora num grande hospital londrino. Ela organiza e implementa informações do conselho deliberativo e supervisiona a gestão de vários departamentos. Ela é divorciada e está solteira e feliz no momento, mas adoraria estar num novo relacionamento (por todos os motivos de que falamos no Capítulo 1).

Ascendente em Gêmeos, Sol na Oitava Casa, Lua em Touro

"Fico feliz quando estou apaixonada por coisas como tango, Cabala e um namorado. A existência fica mais animada e mágica, e os sentidos ganham vida. Tudo parece mais luminoso e alegre.

Gosto da beleza em muitas coisas – na natureza, nos animais, nas roupas, nas joias, no exterior e no interior das pessoas.

Adoro estar em sintonia com os outros, sejam amigos, um grupo, um namorado.

Aprecio fazer uma meditação profunda e ter aquela sensação de quietude, de conectividade e de paz. Sinto e ouço uma frequência especial.

Adoro quando tudo flui no trabalho, em casa, nos relacionamentos. Tenho a sensação de harmonia.

Adoro a intimidade com uma pessoa especial e a extravagância da sensação.

Adoro pessoas únicas, especiais e interessantes.

Gosto quando consigo esclarecer alguma coisa para alguém e recebo um feedback.

Fico feliz quando não devo satisfações a ninguém e posso fazer exatamente o que desejo."

Como você viu neste trecho curto, Giselle se expressa bem, é educada e procura alguém que "dê vida a seus sentidos". Ela não está procurando ideias. Ela está buscando sentimentos, quietude e intimidade. Com o Ascendente em Gêmeos, ela vai querer se comunicar; seu Sol na oitava casa mostra como a intimidade aparece, e com a Lua em Touro (regida por Vênus), ela adora a beleza.

Para ser atraente para uma capricorniana e fazer parte do seu mundo, você precisa ser forte. Isso não quer dizer ser mandão ou abrutalhado. Você precisa ter força de caráter. Precisa ter foco numa meta futura, pois os capricornianos adoram trabalhar tendo algo em vista, em vez de ficarem entregues a reminiscências ou empacados no presente. Lembre-se da senhora Obama.

Gosto de perguntar para pessoas que estão envolvidas de fato num relacionamento a sua opinião sobre quem está em suas vidas, e perguntei a Barry, que é músico e engenheiro de som (e canceriano), o que alegra sua esposa capricorniana. Eis sua resposta:

> *"Dinheiro.*
> *Segurança.*
> *Julgue-a por sua conta e risco.*
> *Lembre-a de como ela é bonita.*
> *Lembre-a de como ela é talentosa.*
> *Lembre-a de que seu valor vai além do retorno financeiro.*
> *Convença-a a sair e a se divertir.*
> *Convença-a a fazer as coisas que ela 'gostaria de fazer'.*
> *Ofereça-lhe um drinque.*
> *E mais um.*
> *Aceite que ela não beba quando não estiver com vontade.*
> *Afaste-a ocasionalmente.de seus livros.*
> *Estimule-a a verbalizar suas preocupações.*
> *Ouça essas preocupações,*
> *mas não a julgue".*

Bem, se você teve a impressão de que para namorar uma capricorniana você precisa ser o próximo presidente dos Estados Unidos, obviamente isso seria um exagero. No entanto você terá de compreender Saturno e todas as suas facetas. Não apresse essa mulher. Lembre-se de ter modos. Seja educado e ponderado e guarde os momentos alegres e frívolos para quando vocês se conhecerem melhor.

O que Fazer quando seu Relacionamento Capricorniano Termina

Isso não é tão difícil quanto costuma ser para outros signos. Se você for claro e souber o que quer, tudo que terá a fazer é ser absolutamente objetivo e ir direto ao ponto. Não floreie. Não dê desculpas. Não se confunda e nem seja confuso. Discuta quem fará o quê e saia com rapidez e clareza.

Se você estiver recebendo o cartão vermelho – desculpe, devia ter dito "se alguém estiver lhe dizendo que o relacionamento acabou" –, então use as sugestões a seguir para se sentir melhor.

Signo de Fogo

Se o seu signo é de Fogo – Áries, Leão ou Sagitário –, você vai precisar de algo ativo e excitante para ajudá-lo a superar o término do relacionamento.

Você também vai precisar usar o elemento Fogo em seu processo de cura.

Compre uma bela vela noturna, acenda-a e recite:

> Eu... (seu nome) deixo você (nome do capricorniano) ir, em liberdade e com amor, para que eu fique livre para atrair meu verdadeiro amor espiritual.

Deixe a vela num local seguro para queimar completamente. Aguarde pelo menos uma hora. Enquanto isso, reúna quaisquer objetos ou bens pertencentes ao seu (agora) ex e devolva-os a seu capricorniano. Seria educado telefonar primeiro e avisar seu ex de que você os estará levando.

Se tiver fotos dos dois juntos ou outras recordações, ou até presentes, não se apresse em destruí-los como alguns signos de Fogo costumam fazer. É melhor deixar tudo numa caixa no sótão ou na garagem até você se sentir menos perturbado.

Depois de alguns meses, abra a caixa, mantenha os itens de que gosta e doe aquilo de que não gosta.

Signo de Terra

Se o seu signo é de Terra (Touro, Virgem ou nosso amigo Capricórnio), você vai se sentir menos propenso a fazer alguma coisa drástica ou extrema. Além disso, vai se sentir como se uma parte de você tivesse sido perdida, pois ambos são do mesmo elemento. Pode ser que você demore um pouco mais para recuperar o equilíbrio, por isso dê-se algumas semanas e o máximo de três meses para seu luto.

Você vai usar o elemento da Terra para ajudá-lo a se curar, bem como alguns cristais de confiança.

Os melhores cristais para se usar são aqueles associados com o seu signo solar e também com a proteção.

Touro = Esmeralda

Virgem = Ágata

Se você também for de Capricórnio, vai precisar de Ônix.

Lave seu cristal em água corrente. Embrulhe-o num tecido de seda bem bonito e vá caminhar pelo campo. Quando encontrar um lugar apropriado, que seja silencioso e no qual você não seja incomodado, cave um pequeno buraco e enterre o cristal.

Durante alguns minutos, pense no seu relacionamento, nos bons e nos maus momentos. Perdoe-se por quaisquer erros que você possa ter cometido.

Imagine uma bela planta crescendo no lugar onde você enterrou o cristal, uma planta que floresce e cresce com vigor.

Ela vai representar o seu novo amor, que estará com você quando chegar o momento apropriado.

Signo de Ar

Se o seu signo for de Ar (Gêmeos, Libra ou Aquário), talvez você queira conversar sobre o que aconteceu antes de encerrar o relacionamento. Os signos de Ar precisam de razões e de respostas e podem desperdiçar uma preciosa energia vital procurando essas respostas. Talvez você queira se encontrar com seu capricorniano para lhe dizer exatamente o que pensa ou pensou sobre suas opiniões, suas ideias e seus conceitos. Você também pode se sentir tentado a lhe dizer o que pensa dele agora, coisa que não recomendo.

Bem melhor do que isso é expressar esses pensamentos de forma tangível, escrevendo uma carta para seu ex-capricorniano.

Não é uma carta que você vá mandar de fato pelo correio, mas ao escrevê-la você vai depositar nela a mesma energia que depositaria caso fosse enviá-la de fato.

Escreva-lhe nestes termos:

Caro capricorniano,
Sei que você está feliz agora em sua nova vida, mas queria que você soubesse e compreendesse algumas coisas antes que eu lhe diga adeus.

Então, relacione todas as ideias incômodas, prejudiciais, perturbadoras de que seu (agora ex) capricorniano costumava falar. Faça a lista do tamanho que quiser. Ponha tantos detalhes quanto lhe for satisfatório, inclusive coisas como as tantas vezes em que ele não respeitou sua postura, foi rabugento com seus melhores amigos ou não retornou suas ligações.

Escreva até não poder mais e encerre sua carta com algo similar ao seguinte:

> Embora não fôssemos adequados um para o outro, e eu tenha sofrido por causa disso, desejo-lhe o melhor em seu caminho.

Ou algum outro comentário positivo.

Depois, rasgue a carta em pedacinhos e ponha-os num envelope ou numa caixa. Agora, vamos usar o elemento Ar para retificar a situação.

Vá para um lugar bem ventoso e alto, como o topo de uma colina, e quando estiver pronto, abra o envelope e jogue alguns pedaços da carta ao vento. Não jogue toda a carta ou você corre o risco de poluir o ambiente; jogue apenas uma quantidade que seja significativa.

Observe esses pedacinhos de papel voando para longe e imagine-os ligando-se aos espíritos da natureza.

Agora, seu relacionamento terminou.

Signo de Água

Se o seu signo for de Água (Câncer, Escorpião ou Peixes), será um pouco mais difícil recuperar-se do relacionamento. Você pode se flagrar chorando em momentos inadequados ou quando ouvir a "sua música" no rádio, ou quando vir casais felizes na companhia um do outro. Você pode ficar acordado e preocupado à noite, achando que arruinou sua vida e que seu ex-capricorniano está se divertindo a valer. Como você já deveria ter suspeitado, porém, isso é pouco provável. Seu ex deve estar tão abalado quanto você.

Portanto sua cura emocional precisa incorporar o elemento Água.

Como você deve estar chorando por todos os cantos, da próxima vez em que estiver banhando-se em lágrimas, pegue uma gotinha dessas lágrimas e coloque-a num copinho. Tenha um à mão especialmente para isso. Se quiser, decore-o. Flores, estrelas ou coisinhas reluzentes.

Encha o copo até a boca com água da torneira e coloque-o sobre uma mesa.

Então, recite o seguinte:

Este adorável relacionamento com você, ... (nome do capricorniano), terminou.
Estendi-me através do tempo e do espaço para chegar até você.
Minhas lágrimas vão lavar a dor que sinto.
Tiro você de meu coração, de minha mente e de minha alma.
Partamos em paz.

Depois, beba lentamente a água. Imagine a dor se dissolvendo, libertando-o de todas as ansiedades e livrando-o da tristeza.

Passe as próximas semanas sendo gentil consigo mesmo. Se precisar conversar, procure alguém de confiança e abra-se com essa pessoa. Tenha alguns lenços de papel à mão.

Sua Amiga Capricorniana

"Os capricornianos são grandes amigos e uma companhia muito divertida; se você está mal, eles são ótimos para alegrá-lo. Descobri também que sabem ouvir e ajudam as pessoas a resolver seus problemas."
Ex-esposa e madrasta de dois capricornianos

Eis a Rachel de novo, nós a conhecemos na Introdução. Agora, ela descreve as coisas que a fazem feliz.

Ascendente em Câncer, Sol na Sexta Casa, Lua em Áries

"Como sei que estou feliz... Sinto-me feliz em meu corpo, tranquila, alerta e com a mente renovada, interessada, excitada, aberta para as pessoas e as situações. As coisas são boas em meus relacionamentos.

Tenho tempo para muito mais coisas e reservo tempo para as pessoas. Telefono com mais frequência para meus familiares e gosto de ver os parentes de meu marido e outros mais distantes. Sou mais tolerante e desfruto a companhia das pessoas. Mesmo que elas não sejam do meu tipo, ainda assim posso gostar delas e valorizá-las. Sorrio para desconhecidos.

Tenho muito para contribuir. Posso assumir mais responsabilidades porque isso é fácil. Posso investir um monte de energia e sempre tenho mais. Administro melhor o tempo mesmo sem perceber. (Hesito em dizer isso porque dá a impressão de 'organização' – para mim, não precisar ser organizada porque as coisas se encaixam perfeitamente no lugar é mais uma virtude do que um esforço específico para me organizar.)

Tenho vontade de viajar. Fico até ansiosa para isso. As estrelas e o universo parecem um cobertor, não um buraco negro!

Além disso, minha alma fica na mesma frequência de onda (mesmo que seja numa oitava superior!). Sinto-me conectada. Fico felicíssima com surpresas agradáveis. Parece que estou sempre no lugar certo e na hora certa – para mim mesma e para outras pessoas que encontro nessas ocasiões. Fico entusiasmada com o ritmo perfeito de tudo. Nossa, se isso tivesse acontecido antes, teria sido cedo demais porque... por isso e aquilo... Ou as pessoas me agradecem muito (por alguma informação ou por algo que acabei de dizer)... nunca sei por que isso fez diferença... e em vez de ficar curiosa, fico contente por não saber!

Quando não estou tão contente, afasto-me do mundo por um ou dois dias, para recarregar as baterias e recuperar a fé. Sinto-me menos propensa a me esforçar. Ou estou lá, enfrentando o dia, mas menos contente e menos aberta a novas experiências porque fico cansada com qualquer coisa. Ou me sinto lânguida e menos proativa. Mas não necessariamente uma lesma. Talvez eu tenha mais metas. É como se eu notasse que nem tudo é perfeito. Mais listas, pois tenho de me lembrar de fazer coisas e fica mais difícil elencar as prioridades. Não me sinto tão dentro do fluxo. Fico menos feliz quando há perdas ou confrontos em jogo."

Eis algumas ideias sobre coisas:

a) que fazem um capricorniano feliz e
b) também sobre as qualidades que você precisa ter para ser amigo de uma capricorniana.

Primeiro, você precisa ser bastante independente. Nem pense em trocar experiências entre "meninas", em sair para fazer compras ou tagarelar. Sua amiga capricorniana vai se sentir feliz em fazer alguma coisa com você. Mas alguma coisa responsável e importante. A maioria das capricornianas que conheço, mas não todas, fez amizades por meio de atividades profissionais, e não recreativas. Por isso, para ter uma amiga capricorniana, vocês precisam ter algo em comum, uma coisa pela qual você possa se sentir responsável. E essa amizade vai durar um longo, longo tempo.

Se você é um desses geminianos voláteis, pode achar que a perspectiva de trabalhar com uma amiga representa um esforço excessivo. Sua amiga capricorniana vai querer um motivo para manter uma amizade com você. Isso é completamente diferente das amizades aquarianas, que simplesmente acontecem. As amizades capricornianas são formadas em torno do trabalho, da família, de responsabilidades, escolas ou grupos. Não são formadas ao redor de coisas que chamo de "fofas". Vocês serão amigos por causa da religião, do trabalho, da política ou da proximidade. Como vimos antes, se você mora perto de uma capricorniana, é mais provável que ela vá conhecer você, e em especial, ajudá-lo, se ela perceber que você está precisando de ajuda, ou que está "numa pior". Isso não se deve à empatia ou a complexos de poder; é que capricornianos compreendem as necessidades práticas da vida.

O que torna as amizades capricornianas mais difíceis é a *falta* de uma família e/ou de um trabalho.

Seu Amigo Capricorniano

O capricorniano será seu amigo pelos mesmos motivos que a capricorniana. Só o ambiente é que será um pouco diferente. Enquanto as mulheres costumam fazer amizades no portão da escola, os homens o fazem trabalhando juntos. Obviamente, com os direitos iguais, essas coisas vão mudar, mas, de modo geral, a maioria dos homens vai se encontrar no trabalho ou por meio do esporte.

Temos James novamente conosco. Agora, ele está falando da sensação que lhe dá ter o Ascendente em Peixes. Nem todo capricorniano se sente assim, e incluí seu depoimento para demonstrar como se manifestam os diferentes aspectos de um mapa.

Se fôssemos usar algumas palavras-chave para descrever seu mapa, elas seriam as seguintes:

Ascendente em Peixes = Sensível
Sol na décima casa = Focado na carreira/nas opiniões alheias
Lua em Virgem = Preocupa-se muito

Você verá esses elementos em jogo ao ler este breve depoimento.

James, Ascendente em Peixes, Sol na Décima Casa, Lua em Virgem

"Obviamente, só posso falar por mim e não por todos os homens, o que provavelmente é o que você quer. Além disso, a sensibilidade é subjetiva – não sei qual é o grau de sensibilidade dos outros para comparar com o meu. Existe uma escala?

Creio que sou bastante sensível. Sou afetado por críticas e os insultos me atingem com facilidade, em vez de serem descartados. Os insultos costumam ter mais peso em minha mente do que os elogios. Além disso, acho que tenho bastante empatia, embora eu costume errar muito e talvez seja até culpado por projetar minhas emoções sobre os outros sem muita precisão.

Creio que sou mais regido por minhas emoções do que a maioria dos homens, ou que não sou capaz de ocultá-las. Costumo me esconder em silêncio ou me afastar de situações emocionais difíceis. Desde cedo, os homens são incentivados a não demonstrar suas emoções e a não permitir que elas governem suas vidas (homens não choram, coisas assim), algo que é perpetuado no recreio da escola e cimentado na vida adulta até fazer parte de nosso hardware.

Como diz a canção de uma banda chamada James que sempre achei bem verdadeira:

'Fofoqueiras, místicos, diz que diz,
sábios, ricos, xamãs e videntes,
quando você é fraco na Terra, quando você morre, você paga,
por aceitar essa sina, na mais reles das sepulturas.
Os sexos se dividem, os homens não podem ser fracos,
a sensibilidade é um vício do qual não devemos falar.'

Creio que isso pode ser uma força negativa, que leva a frustrações e à raiva destrutiva, mas que parece ser perpetuada pela mídia e aparentemente é atraente para o sexo oposto, pois a imagem retratada é a de que os homens são sólidos e controlados, capazes de lidar com situações emocionais difíceis sem se deixar dominar por elas.

Até eu me sinto estranho quando vejo homens sendo particularmente expressivos em suas emoções, e fico tentado a encarar essas situações como uma piada. Mas também admiro quem tem necessidade de mostrar as emoções e sinto empatia por essas pessoas.

Sinto as coisas, mas consigo manter um verniz de passividade, pois é isso que parecem esperar de mim, especialmente pelo fato de ser homem, e consigo fazê-lo com eficiência. A coisa chega a tal ponto que, quando admito meus sentimentos para os outros, eles ficam muito surpresos (especialmente depois de passar por momentos difíceis e não demonstrar nada).

Creio que aprendi a admitir, expressar e discutir minhas emoções com amigos mais próximos, mas às vezes vou longe demais e assumo sentimentos e pensamentos que talvez não devesse. Algumas coisas, ao que parece, devem permanecer sempre privadas ou ocultas.

Consigo chorar com algo tão simples quanto algumas palavras num poema ou ouvidas no rádio, num filme ou até lidas num livro. É mais provável que isso aconteça quando estou cansado ou ligeiramente bêbado, ou particularmente introspectivo e sensível.

Fui criado numa casa predominantemente feminina (na maior parte do tempo, meu pai estava viajando a trabalho), e naturalmente sou criativo, o que significa que sou bastante introspectivo, e isso, creio, faz com que eu tenha mais contato com minhas emoções. Mas fico confuso com as expectativas do comportamento masculino.

Logo, creio que o resumo de tudo isso é o seguinte: acho que sou sensível, mas sinto que não me permitem mostrar minhas emoções."

James está expressando (sem qualquer conhecimento de Astrologia) partes importantes de seu mapa. Na Astrologia, qualquer um pode ter qualquer signo lunar, solar ou no Ascendente, e não há nela nada que seja especialmente masculino ou feminino. Isso é uma coisa nossa, não da Astrologia. Mas dá para perceber como ele luta com sua sensibilidade, seu lado emocional *e* masculino. Seria diferente se ele fosse mulher? E parte desse conflito é perpetuada por ele ter a Lua em Virgem, um signo que analisa profundamente as coisas.

Sua Mãe Capricorniana

Sua mãe capricorniana será prática. Não há como evitar isso. Se você não for do tipo prático, talvez lute contra a ideia, especialmente quando for adolescente, pois ser adolescente é ser rebelde. Se você compreendeu todos os aspectos que discutimos antes – a seriedade, a responsabilidade e o estoicismo –, poderá sentir alguma empatia por sua mãe capricorniana. Você também pode gostar de como ela se esforçará para fazer com que sua vida tenha o menor número de problemas. Contudo, sua determinação e seu foco podem deixá-lo maluco.

Fui conversar com meu osteopata na semana passada. Ele está na faixa dos 40 e sua mãe na casa dos 80. A caminho do trabalho, ele passou para visitá-la (pois ele é um canceriano e gosta muito da mãe), e ela começou a discutir com o filho porque ele estava usando calças de algodão. Como era um dia de outono e o tempo estava ficando frio, ela não entendia por que ele não estava com calças de lã... E depois passou vinte minutos dando-lhe um sermão do tipo "você deveria estar usando calças mais quentes neste tempo frio". Ele retrucou com um "não posso usar lã, trabalho num ambiente aquecido e vou derreter!". Mas ela não se deu por vencida. O tempo estava frio e ele deveria usar roupas quentes.

Ele bateu rapidamente em retirada!

Vamos conversar com uma mãe capricorniana e descobrir o que acontece em sua vida.

Ascendente em Leão, Sol na Quinta Casa, Lua em Virgem

Temos aqui o depoimento de Olivia, mãe de seis filhos, psicoterapeuta e terapeuta de constelação familiar.

"Adoro música clássica e coisas antigas, são as coisas com que cresci, sou muito sentimental com relação ao passado, coisas antigas, casas antigas, móveis antigos, pequenos objetos preciosos colhidos ao longo dos anos, não jogo nada fora! Adoro ler e tenho uma grande variedade de livros que amo e me sinto muito próxima de todos os animais que você possa imaginar, admiro todos eles. Chego a conversar com aranhas e salvo minhocas e todas as criaturas que se perdem. Sempre fui apaixonada por cavalos e sempre tive gatos, cães e galinhas (agora não tenho mais) e gostaria de possuir um pequeno zoológico. Minha mãe e meu pai eram absolutamente iguais (ele Touro, ela Virgem). Animais são muito importantes em minha vida. Adoro verduras e um pão bem macio com um queijo velho e firme! Eu não comeria frangos ou qualquer criatura que eu mesma tivesse de matar, não conseguiria fazê-lo, mas gosto de frango, de salmão e de outros peixes, porém não dos que têm ossos ou dos defumados. Adoro mar e areia, e costumava ir pescar com os homens num pequeno barco a motor quando era adolescente, nas férias de verão. Gosto de água em qualquer lugar, e do campo, embora não seja exatamente uma andarilha. Sempre fui ativa, cavalgando, jogando tênis, badminton ou tênis de mesa, nadando.

Não ousaria ser novamente tão ativa hoje porque receio pelos meus tendões, mas entrei num programa de educação para adultos depois que meu primeiro marido morreu; aos 47 anos, voltei à faculdade e ainda gosto de aprender. Não aprendo depressa, mas compreendo mais do que imagino, e descobri que, embora não assimile conhecimentos de forma intelectual, faço-o instintivamente, e já sei tanta coisa que minha memória melhorou!

Mas já chega; como pode ver, depois que começo a falar, falo demais, no entanto, para mim, família é algo realmente muito, muito importante."

Não perguntei para Olivia se ela achava importante a sua família, foi uma informação voluntária. E preste atenção no que ela diz, caso você deseje se relacionar bem com sua mãe capricorniana: "Família é algo realmente muito, muito importante".

Ela poderia ter dito "minha família é importante para mim", ou seja, um senso de propriedade, ou podia ter dito "a família", como uma instituição; mas não, ela disse "família" como você diria "respirar".

Portanto, se o seu capricorniano aborrecido tiver um "problema" com a família, assegure-se de que você analisou isso antes de tentar qualquer técnica para animá-lo. E nesse exemplo, adorei o nome da atividade dela, terapeuta de constelação familiar. Se essa não é uma fantástica ocupação capricorniana, eu não sei o que é!

E "família" é formada por mãe, pai e filhos... Após algum tempo, entram os parentes dos cônjuges, mas só se eles forem tão dedicados à família quanto o capricorniano.

Minha avó (paterna), que mencionei na introdução, gostava muito da família.

Sua Lua estava em Gêmeos e ela adorava viagens curtas e conversar sobre a família com a minha mãe:

"[...] contava-me com detalhes as coisas de que não gostava: os parentes dos genros, embora adorasse seu genro Alex, no qual não encontrava defeito, mas os pais, o irmão e a irmã dele recebiam sua total reprovação... não tardou para que eu soubesse que depois que ela desabafava, sossegava um pouco".

Isso não se aplica a primos ou a tias (Não!!! As tias são TÃO importantes na minha vida... *suspiro*) ou àqueles que chamo de colaterais. Devem ser parentes diretos, e por isso sua mãe capricorniana também terá um profundo interesse por tataravós e "coisas que lhe foram transmitidas".

Seu Pai Capricorniano

Conheço alguns pais de Capricórnio. Eles levam a família muito a sério. Levam seu papel de provedores e de líderes igualmente a sério. Eles também ficam terrivelmente perturbados se os filhos se metem em encrencas ou não realizam suas ambições. Como todos os conselhos que dei neste livreto, por favor, lembre-se do seu signo. Se você se compreende e compreende suas motivações, corre menos risco de entrar em conflito com outras pessoas.

Alguns de meus clientes que reclamam de seus pais capricornianos são de signos de Fogo ou de Ar, e às vezes o pai é acusado de ser severo e excessivamente formal.

Geralmente, esses clientes têm pais bem idosos, e talvez por isso os valores da geração mais velha não se encaixem com a vida moderna.

Contudo não são muitos os clientes que marcam uma consulta para falar do pai. Ele até aparece na conversa, mas não é a razão pela qual me procuram.

Para compreender seu pai capricorniano, leia os Capítulos 3, 4 e 5 e lide com ele com base no elemento predominante de seu mapa.

Se ele é um capricorniano com o elemento Fogo, vocês vão se dar melhor fazendo coisas físicas, exercitando-se, correndo, praticando esportes, fazendo algo desafiador.

Se ele é um capricorniano com Ar, as coisas terão de ser discutidas, debatidas, analisadas, pensadas, faladas e decididas.

Se ele é um capricorniano com Água, ele vai querer falar de seus sentimentos, dos sentimentos alheios, de antigas mágoas, de velhas perturbações, de coisas emocionais, de coisas queridas.

Se ele é um capricorniano com Terra, vai querer saber se você mantém seu mundo material organizado. Seu foco estará no dinheiro, na segurança, nas refeições, nas compras (de alimentos), na saúde, em seu trabalho, no trabalho dele, no trabalho de outros membros da família, e provavelmente ele lhe emprestará dinheiro se você pedir com jeitinho!

Provavelmente, ele lhe deu várias responsabilidades desde cedo.

Conheço um pai capricorniano que deixava sua filha de 5 anos ir caminhando sozinha até a escola. Sua jornada envolvia a travessia de três ruas que não eram muito movimentadas, mas que nos horários de pico tinham um trânsito regular. Depois eu descobri que tanto ela quanto o pai eram de Capricórnio.

Nessa época, eu levava meu filho mais novo para a escola e a vi andando sozinha.

Visitei a família e expressei minha preocupação quanto ao fato de ela ir sozinha para a escola, e seu pai começou a discursar vigorosamente. Ele disse que, se ele fosse muito frouxo com a filha, ela nunca aprenderia nada, e que precisava aprender a ir sozinha. Concordei, porém disse que uma criança daquela idade até seria capaz de ir sozinha, mas que o risco estava nas *outras* pessoas.

Quando os vi novamente, ele a estava levando à escola com uma caneca de chá na mão e ar de poucos amigos, como se seu desjejum tivesse sido perturbado, e ela parecia igualmente insatisfeita.

Se na época eu soubesse que ambos eram de Capricórnio, eu teria ficado de boca fechada!

Seus Irmãos de Capricórnio

Como disse antes, minha irmã mais nova é de Capricórnio. Agora, tendo pesquisado para escrever este livro e passado horas pensando nesse signo e escrevendo sobre ele, sei que os nativos de Capricórnio se sentem melhor quando as questões práticas da vida estão bem encaminhadas. Como irmãs, temos um relacionamento muito bom. Sou de um signo de Água, Peixes, e nos entendemos bem, pois ela tem Ascendente em Peixes. Chegamos a dividir um quarto quando éramos mais novas.

Para você se dar bem com sua irmã capricorniana, tudo vai depender de seu Elemento e também do signo de seu Ascendente.

Se, por exemplo, você é de Escorpião com Ascendente em Sagitário e Lua em Áries, é pouco provável que você se dê bem com seu irmão de Capricórnio caso ele tenha Ascendente em Virgem e Lua em Câncer. É por isso que é importante montar o mapa astral inteiro para se compreender o perfil da pessoa na totalidade. Às vezes, é difícil para um astrólogo de signos solares justificar frases abrangentes como "Escorpião e Capricórnio se entendem" em casos como o citado.

Logo, vamos imaginar que só estamos tratando do ponto de vista do signo solar, para termos uma base comum.

De modo geral, os capricornianos gostam da unidade familiar. E, como vimos antes, a unidade familiar é importante para eles.

Eis Mahsuri, uma terapeuta alternativa que tem a Lua em Gêmeos, falando daquilo que a faz feliz:

"Para mim, a felicidade é estar à vontade comigo mesma e com o mundo, participando plenamente de tudo que a vida tem a oferecer. Ser feliz também é estar na companhia de familiares e amigos queridos, ter pessoas com quem repartir a vida.

Sei que estou feliz quando meu relacionamento com minha família próxima e o mundo como um todo se dá sem esforço, não ocupa espaço mental desnecessário, e estou num momento em que apenas sou, apreciando a beleza e a criatividade que existem ao meu redor".

Ela quer que sua família próxima (e não os parentes distantes) *não* ocupe todo o seu espaço mental. Isso significa que ela não quer *pensar* em sua família, quer apenas fazer parte dela.

Discussões demais sobre as coisas vão distrair o seu capricorniano.

Se o seu signo é de Ar, você quer que as coisas sejam discutidas, debatidas e esclarecidas. Esse não é um território capricorniano. A expectativa é que todos façam aquilo que se supõe que devem fazer e sigam em frente.

Conheço uma família na qual um dos irmãos é de Capricórnio e o outro é de Gêmeos. Ao longo dos anos, isso lhes causou enormes desentendimentos. O geminiano quer discutir e deixar claro o assunto XYZ, enquanto o capricorniano ou quer ou não quer fazer certas coisas. Fim da conversa. Não há diálogo ou poder de persuasão que leve o capricorniano a fazer coisas que ele não quer fazer, enquanto o geminiano pensa que as coisas podem ser resolvidas desde que eles conversem a respeito.

Eles podem resolver as coisas se um respeitar o ponto de vista do outro. O geminiano quer que certas coisas sejam fruto de um entendimento verbal. O capricorniano quer ver ação, resultados tangíveis, antes de se decidir. Eles também deveriam poder dizer "não", um "não" que seria respeitado. Na cabeça deles, se você perguntar para uma pessoa se ela quer fazer alguma coisa e a pessoa responder que não, ela estará apenas sendo sincera!

Espero que você tenha gostado de aprender um pouco de Astrologia e de conhecer um pouco o signo solar de Capricórnio. Espero que isso o ajude a compreender um pouco melhor nosso signo invernal do Zodíaco.

Se precisar de mais informações, por favor, consulte a seção de referência ou meu site: www.maryenglish.com.

Estou escrevendo isto em meu escritório em Bath, uma cidade do oeste da Inglaterra que faz parte do Patrimônio Mundial da Humanidade. Sou de Peixes. Estou feliz com meu trabalho, com meu marido, com meu filho e com minha família.

Sei que a vida pode ser feita de coisas boas e más, e decidi, não faz muito tempo, me concentrar no que é bom.

Se todos nós nos compreendermos um pouco melhor, talvez melhoremos todos.

Há uma vela queimando ao meu lado, e sei que essa chama é mais forte do que a insatisfação e a discórdia.

Desejo a você toda a paz do mundo... e a felicidade também.

♑ Informações adicionais ♑

www.astro.com – Um amplo site suíço com um monte de informações gratuitas e um bom fórum utilizado por astrólogos.

www.astrologicalassociation.com – Site da The Astrological Association of Great Britain, uma boa organização profissional inglesa.

www.bachcentre.com – Site do doutor Edward Bach e do sistema de remédios florais de Bach.

www.astro.com/astro-databank/Main_Page – Astro-Databank: Um grande site que abriga dados de nascimento de pessoas famosas.

www.astrotheme.com – Site particular francês com um excelente motor de busca de dados de nascimento.

♑ Notas ♑

1. *The Dawn of Astrology, Volume 1: The Ancient and Classical Worlds*, Nicholas Campion, 2008, Continuum Books, 11 York Road, Londres, SE1 7NX, www.continuumbooks.com.
2. *The New Waite's Compendium of Natal Astrology*, Colin Evans, editado por Brian E.F. Gardener, 1967, Routledge and Kegan Paul Ltd, Londres, GB.
3. *How to Write an Astrological Synthesis*, Terry Dwyer, 1985, LN Fowler Ltd, Romford, Essex, GB.
4. *Picking Your Perfect Partner Through Astrology*, Mary Coleman, 1996, CRCS Publications, EUA.
5. *Linda Goodman's Sun Signs*, 1976, Pan Books Ltd, Londres SW10.
6. *Easy Astrology Guide, How to Read Your Horoscope*, Maritha Pottenger, 1991, ACS Publications, CA, EUA.
7. *How to Read Your Astrological Chart, Aspects of the Cosmic Puzzle*, Donna Cunningham, 1999, Samuel Weiser, York Beach ME, EUA.
8. *The Only Way to Learn Astrology, Basic Principles*, Marion D. March & Joan McEvers, 1981, ACS Publications.
9. http://theweald.org/N10.asp?NId=1309.

10. *Winnie-The-Pooh*, A. A. Milne, 1969, Methuen & Co Ltd, Londres EC4.
11. http://en.wikipedia.org/wiki/Elvis_Presley.
12. Ver nota 1.
13. *The Astrologers and Their Creed, An Historical Outline*, Christopher McIntosh, 1971, Arrow Books Ltd, 3 Fitzroy Square, Londres W1.
14. Classificação Rodden, batizada e homenagem a Lois M. Rodden, colecionadora de dados de nascimento que os classificou entre A e D, conforme a confiabilidade da informação.
15. http://www.astro.com/astro-databank/Help:RR.

♑ Informações sobre mapas astrológicos ♑

Dido, 25 de dezembro de 1971, Londres, sem hora de nascimento, Lua em Áries.

Michele Obama, 17 de janeiro de 1964, Chicago, IL, EUA, sem hora de nascimento, Lua em Aquário.

Kate Moss, 16 de janeiro de 1974, Croydon, GB, sem hora de nascimento, Lua em Escorpião.

Nigella Lawson, 6 de janeiro de 1960, Londres, sem hora de nascimento, Lua em Áries.

Heather Mills, 12 de janeiro de 1968, Aldershot, GB, Lua em Gêmeos.

A. A. Milne, 18 de janeiro de 1882, Kilburn, Londres, sem hora de nascimento, GB, Lua em Capricórnio.

Rowan Atkinson, 6 de janeiro de 1955, County Durham, GB, sem hora de nascimento, Lua em Gêmeos.

Mãe Meera, 26 de dezembro de 1960, 6h, Chandepalle, Índia, Ascendente em Sagitário, Sol na 1ª casa, Lua em Áries.

Patti Smith, 30 de dezembro de 1946, Chicago, IL, EUA, 6h01, Ascendente em Sagitário, Sol na 1ª casa, Lua em Peixes.

Elvis Presley, 8 de janeiro de 1935, Tupelo, MS, EUA, 4h35, Ascendente em Sagitário, Sol na 2ª casa, Lua em Peixes.

Marcia Starck, 24 de dezembro de 1939, 2h38, Patterson, NJ, EUA, Ascendente em Escorpião, Sol na 2ª casa, Lua em Gêmeos.

Isaac Newton, 4 de janeiro de 1643, 1h38, Woolsthorpe, GB, Ascendente em Libra, Sol na 3ª casa, Lua em Câncer.

Edgar Allan Poe, 19 de janeiro de 1809, 1h00, Boston, MA, EUA, Ascendente em Escorpião, Sol na 3ª casa, Lua em Peixes.

Howard Hughes, 24 de dezembro de 1905, Houston, Texas, EUA, Ascendente em Virgem, Sol na 4ª casa, Lua em Sagitário.

Rudyard Kipling, 30 de dezembro de 1865, 22h, Bombaim, Índia, Ascendente em Virgem, Sol na 4ª casa, Lua em Gêmeos.

Annie Lennox, 25 de dezembro de 1954, 23h10, Aberdeen, Escócia, Ascendente em Virgem, Sol na 4ª casa, Lua em Capricórnio.

Rod Stewart, 10 de janeiro de 1945, 1h17, Highgate, Londres, Ascendente em Libra, Sol na 4ª casa, Lua em Escorpião.

Tracey Ullman, 30 de dezembro de 1959, 3h15, Burnham, Inglaterra, Ascendente em Escorpião, Sol na 2ª casa, Lua em Capricórnio.

J.R.R. Tolkien, 3 de janeiro de 1892, Bloemfontein, África do Sul, 22h, Ascendente em Virgem, Sol na 5ª casa, Lua em Peixes.

Dolly Parton, 19 de janeiro de 1946, Louise Ridge, TN, EUA, 20h25, Ascendente em Virgem, Sol na 5ª casa, Lua em Virgem.

Dennis Wheatley, 8 de janeiro de 1897, Londres, Inglaterra, 19h30, Ascendente em Leão, Sol na 5ª casa, Lua em Peixes.

Cynthia Payne, 24 de dezembro de 1931, Bognor Regis, Inglaterra, 21h, Ascendente em Leão, Sol na 5ª casa, Lua em Escorpião.

Muhammad Ali, 17 de janeiro de 1942, Louisville, KY, EUA, 18h35, Ascendente em Leão, Sol na 6ª casa, Lua em Aquário.

Crystal Gayle, 9 de janeiro de 1951, Paintsville, KY, EUA, 1h25, Ascendente em Libra, Sol na 3ª casa, Lua em Aquário.

Kate Bosworth, 2 de janeiro de 1983, Van Nuys, CA, EUA, 17h55, Ascendente em Câncer, Sol na 6ª casa, Lua em Virgem.

Ricky Martin, 24 de dezembro de 1971, Hato Rey, Porto Rico, EUA, 17h, Ascendente em Gêmeos, Sol na 7ª casa, Lua em Peixes.

Noel Tyl, 31 de dezembro de 1936, 15h57, West Chester, PA, EUA, Ascendente em Câncer, Sol na 7ª casa, Lua em Leão.

Jack London, 12 de janeiro de 1876, San Francisco, CA, EUA, 14h, Ascendente em Gêmeos, Sol na 8ª casa, Lua em Leão.

Marianne Faithfull, 29 de dezembro de 1946, Londres, Inglaterra, 12h30, Ascendente em Touro, Sol na 9 casa, Lua em Peixes.

Joan Baez, 9 de janeiro de 1941, Staten Island, NY, EUA, 10h45, Ascendente em Áries, Sol na 10ª casa, Lua em Gêmeos.

Donna Rice, 7 de janeiro de 1958, Nova Orleans, LA, EUA, 9h17, Ascendente em Aquário, Sol na 11ª casa, Lua em Leão.

Benjamin Franklin, 17 de janeiro de 1706, Boston, MA, EUA, 10h30, Ascendente em Áries, Sol na 10ª casa, Lua em Peixes.

Odetta Holmes, 31 de dezembro de 1930, Birmingham, AL, EUA, 9h30, Ascendente em Aquário, Sol na 11ª casa, Lua em Touro.

David Bowie, 8 de janeiro de 1947, Brixton, Londres, Inglaterra, 9h15, Ascendente em Aquário, Sol na 12ª casa, Lua em Leão.

Janis Joplin, 19 de janeiro de 1943, Port Arthur, TX, EUA, 9h45, Ascendente em Aquário, Sol na 12ª casa, Lua em Câncer.

Mao Tse-Tung, 26 de dezembro de 1893, Siangtan, China, 7h30, Ascendente em Capricórnio, Sol na 12ª casa, Lua em Leão.

Kenny Everett, 25 de dezembro de 1944, Crosby, Inglaterra, 3h, Ascendente em Libra, Sol na 3ª casa, Lua em Touro.

Nicolas Cage, 7 de janeiro de 1964, Harbor City, CA, EUA, 5h30, Ascendente em Sagitário, Sol na 1ª casa, Lua em Libra.

Kevin Costner, 18 de janeiro de 1955, Lynwood, CA, 9h40, Ascendente em Virgem, Sol na 5ª casa, Lua em Sagitário.

Tiger Woods, 30 de dezembro de 1975, Long Beach, CA, EUA, 22h50, Ascendente em Virgem, Sol na 4ª casa, Lua em Sagitário.

Sandy Denny, 6 de janeiro de 1947, Wimbledon, GB, 16h, Ascendente em Câncer, Sol na 7ª casa, Lua em Câncer.

Cliente X, 14 de janeiro de 1963, Liverpool, GB, 10h35, Ascendente em Peixes, Sol na 10ª casa, Lua em Virgem.

Cliente Y, 19 de janeiro de 1980, Miami, Flórida, 0h29, Ascendente em Libra, Sol na 4ª casa, Lua em Aquário.

Cliente Z, 9 de janeiro de 1965, Londres, 16h, Ascendente em Câncer, Sol na 6ª casa, Lua em Áries.

PRÓXIMOS LANÇAMENTOS

Editora
Pensamento
SÃO PAULO

Para receber informações sobre os lançamentos da
Editora Pensamento, basta cadastrar-se no site:
www.editorapensamento.com.br

Para enviar seus comentários sobre este livro,
visite o site
www.editorapensamento.com.br
ou mande um e-mail para
atendimento@editorapensamento.com.br